D1286989

Edgar Destoits

Traduit de l'anglais par Jacqueline Odin

Titre original : *Barnaby Grimes*
Curse of the Night Wolf
First published in Great Britain by Doubleday,
an imprint of Random House Children's Books

Loi 49-956 du 16 juillet 1949 sur les publications
destinées à la jeunesse
ISBN : 978-2-7459-2984-6
www.editionsmilan.com

L'ÉTRANGE AFFAIRE DU LOUP DE LA NUIT

MILAN

RUE DE L'ÉGLISE
St. John Street
Phœnix Str.
Sun Street
Union Str.
Church Str.
Church Str
STADE
Swan Str.
Gr. Prescott Str.
RUE DU TRAMW

OUTE DU VERT PRÉ
STATION
Grande Rue Ouest
HÔPITAL
AVENUE STEPNEY
Rue Bellissime
NOUVELLE ROUTE
PARC
Rope Walks
Smith St.

Pour mon neveu, Stephen – P. S.

Pour Jack – C. R.

Chapitre 1

Avez-vous déjà senti la peau de vos bras et de vos jambes se décoller lentement ? Vos muscles se déchirer, partir en lambeaux, tandis que tous les os de votre corps s'efforcent de percer votre chair ? Avez-vous déjà senti tous vos tendons et tous vos ligaments s'étirer, prêts à rompre, tandis que votre squelette cherche à se disloquer de l'intérieur ?

Je l'ai vécu, et je ne l'oublierai jamais.

Je me souviens du clair de lune. Le grand disque d'argent de la pleine lune magnétisait mes yeux levés, sa lumière enivrante s'infiltrait par mes pores et se répandait dans mes veines, éveillant quelque chose au tréfonds de mon être.

Ensuite, la douleur est venue. Des convulsions terribles m'ont secoué, ma peau semblait en feu et, devant mon regard horrifié, mes doigts et mes orteils raidis sont devenus des pattes griffues. Mon cou s'est crispé, mon ventre s'est contracté pendant que les muscles de ma poitrine et de mes épaules roulaient et ondulaient comme si une colonie de rats prisonniers remuait sous ma peau.

J'avais une sensation de brûlure à l'arrière de la gorge, où la base de ma langue enflait et frétillait, me laissant le souffle court. J'ai toussé : ma langue a jailli d'entre mes lèvres et s'est mise à pendre au coin de ma bouche, jusqu'à mon menton. Des filets de bave ont éclaboussé le sol et brillé dans le clair de lune.

Quelle douleur j'ai supportée. Quelle douleur atroce. J'avais l'impression que mon crâne lui-même se trouvait dans un étau de menuisier qui me comprimait de plus en plus.

Puis les bruits ont commencé…

Il y a eu un craquement brusque, sec, à l'intérieur de mes oreilles, et j'ai compris que ma mâchoire s'allongeait soudain, en même temps que mon nez. Un instant plus tard, je me suis aperçu que je les voyais l'un et l'autre par la fente de mes paupières. J'ai agité la tête avec violence et tenté de crier, mais seuls des grondements et des jappements ont retenti, qui se sont transformés en un hurlement affreux à mesure que ma terreur grandissait.

J'ai voulu m'enfuir, mais j'étais accablé par un poids extraordinaire qui me clouait sur place. Prisonnier, presque incapable de bouger le moindre muscle, j'avais pourtant les sens électrisés.

Mon ouïe était fine comme jamais. Ma vue désormais perçante me présentait des images claires et précises, quoique bizarrement allongées, comme si j'avais regardé à travers une lentille légèrement courbe. Mon nez frémissait d'excitation tandis que mille odeurs et senteurs différentes l'assaillaient.

Il y avait l'âcreté de l'huile de lin dans les boiseries vernies. Il y avait le parfum suave d'une récente visiteuse – ainsi que la sueur aigre, sous-jacente, qu'elle avait essayé de dissimuler. Il y avait la cire pour le sol. Le lait renversé. L'herbe piétinée. Les plumes de pigeon. La suie. La poussière. Le goudron. Un relent de vomi. Un vague effluve de chien…

Puis les démangeaisons ont commencé. Sur tout mon corps. Intempestives, irrépressibles et impossibles à ignorer, elles m'ont obligé à frotter, à gratter avec mes griffes le moindre centimètre carré de peau, en déployant toute l'énergie dont j'étais capable. Et je suis resté bouche bée, dans un mélange d'épouvante et de stupeur : ma peau lisse, presque sans poil, se couvrait peu à peu d'une fourrure drue, sombre.

Horrifié, j'ai levé la tête et hurlé une nouvelle fois. Mes vêtements étaient éparpillés autour de moi, en loques.

La pièce terne et exiguë était matelassée. Les moindres cloisons et surfaces portaient un capitonnage en lourd feutre gris pâle, qui étouffait tous les sons

– capitonnage sur lequel je découvrais, en l'observant, des traces de sang séché.

Au-dessus de ma tête se trouvait la lucarne – fenêtre à double vitrage épais dans le plafond bas et incliné, tel un œil monstrueux – qui concentrait dans la pièce les rayons de lumière venant de la pleine lune. Je regardais, paralysé.

C'est alors que je l'ai entendu. Un petit rire sourd, déplaisant, derrière moi. Au prix d'un grand effort, j'ai tourné lentement la tête...

Un inconnu me considérait de toute sa hauteur.

Il était habillé d'une grosse blouse et coiffé d'une longue cagoule sinistre qui lui dissimulait complètement le visage et la tête. La lune se reflétait sur les panneaux de verre noirs placés devant ses yeux – et sur l'énorme seringue argentée, transparente, qu'il serrait dans sa main gantée.

Je regardais sans pouvoir remuer un seul muscle.

Un instant plus tard, le hideux personnage s'est dirigé vers moi – à pas lents, résolus, la seringue pointée. J'ai poussé un gémissement alors qu'un spasme de peur me tordait.

Tchac-tchac-tchac.

Tout en continuant à s'approcher, il a levé la seringue et fait jaillir, au bout de la grande aiguille, plusieurs gouttes de liquide blanc argenté qui ont coulé sur le côté. Mes oreilles se sont dressées, un grognement terrifié est sorti de mes babines retroussées

La lune se reflétait sur les panneaux de verre noirs placés devant ses yeux...

– je ne pouvais pas lui échapper. Je ne pouvais pas bouger. Un autre spasme m'a parcouru l'échine.

Tchac-tchac-tchac.

Qu'était donc ce bruit ? Quelque chose fouettait le sol capitonné, comme s'il suivait le rythme de mon cœur battant. Le personnage a brandi la seringue effilée tandis que j'essayais de regagner la maîtrise de mon corps convulsionné.

Tchac-tchac-tchac.

Encore ! Dans un sursaut, j'ai compris ce qui fouettait derrière moi…

C'était ma queue.

Chapitre 2

Je garderai jusqu'à ma mort le souvenir des événements de cette terrible nuit ; aujourd'hui encore, tandis que j'écris ces lignes, j'ai le front inondé d'une sueur froide et la main qui tremble. Pourtant, j'ai le devoir de continuer, puisqu'en racontant mon aventure, je pourrai peut-être dévoiler le cœur noir de notre grande ville affairée.

Ce sombre univers, je n'ai que trop appris à le connaître, moi, « l'envoyé tic-tac ». Et j'ai vu de mes propres yeux des atrocités que je ne souhaiterais pas à mon pire ennemi. Une telle horreur est le sujet de mon récit…

Je suis, je vous l'ai dit, envoyé tic-tac : moitié coursier, moitié livreur, à ceci près qu'un envoyé tic-tac doit être plus rapide que le premier et deux fois plus dégourdi que le second. Alors… nigauds et péquenauds s'abstenir !

Je connais cette ville comme le fond de ma poche – le moindre passage, la moindre ruelle, la moindre voie. Il le faut : c'est ma profession. Circuler est chez moi une seconde nature. Donnez-moi deux endroits au hasard, et je vous indiquerai en un clin d'œil le plus court chemin de l'un à l'autre. Le temps, c'est de l'argent. Tic-tac, le cliquetis du mécanisme d'horlogerie… Voilà pourquoi on nous appelle envoyés tic-tac.

Vous ne nous trouverez pas coincés derrière un pupitre dans un bureau étroit. Sans cesse, nous nous déplaçons. Qu'il s'agisse d'authentifier des testaments ou d'informer d'une convocation au tribunal, d'enregistrer des témoignages ou de recueillir des pétitions, de distribuer des abonnements ou de remettre des contrats, nous en faisons notre affaire. Et j'ai eu ma part de missions étranges, je vous le garantis.

Il y a eu le jour où j'ai dû livrer un lot d'œufs de canes, tachetés de bleu et encore tièdes, à la Société ornithologique des marais et marécages, en temps voulu pour son banquet annuel des couvées. Il y a eu l'annonce secrète du bal masqué de lady Fitzrovia, deux cents invitations bordées d'or à porter au milieu de la nuit – et avec la moitié des gribouilleurs de la presse mondaine sur ma piste.

Puis il y a eu le jour où j'ai été chargé des souscriptions pour la brochure historique du colonel Dupont-

Fortin, *Maladies chroniques dues aux canalisations souillées*, et où je me suis retrouvé dans les égouts avec une bande de salamandres carnivores à mes trousses… Mais c'est une histoire si affreuse qu'elle mérite un livre à elle seule.

L'effroyable machination au cœur de mon présent récit a commencé avec la mode apparemment innocente des cols et des poignets en fourrure appelée garniture westphalienne. Elle faisait fureur il y a quelque temps – mais la mode est un phénomène étrange. Telle semaine, on ne peut pas circuler dans l'allée du Galop, encombrée de beaux messieurs désinvoltes en huit-reflets à double cercle. La semaine suivante, sans prévenir, ils sont passés aux panamas de paille. Et les belles jeunes dames qui se promènent le long du Grand Marché ou sur le mail de la Régence changent autant de goût. Telle saison, elles ne veulent que des mitaines en dentelle et des bottes en peau de phoque ; la saison suivante, des jupes orientales et des chiens d'appartement aussi petits que des loirs.

Quant à moi, un gilet de braconnier à douze poches, un haut-de-forme et une fidèle canne-épée me suffisent, mais il faut reconnaître que je n'ai jamais été un adepte de la mode. Je laisse cette occupation aux belles dames et beaux messieurs. Pour leur part, en tout cas, ils ne se lassaient pas de cette garniture westphalienne.

Ils ne se lassaient pas de cette garniture westphalienne.

La fourrure était épaisse, douce, somptueuse, mais ce qui la distinguait vraiment des peaux classiques de lapin ou d'écureuil (ou de chat errant, d'ailleurs), c'était son lustre. Un lustre tel qu'il fallait le voir pour le croire ; un lustre si merveilleux que les poils eux-mêmes semblaient presque briller.

D'après la rumeur, il s'agissait du pelage du grand loup de la nuit, espèce rare qui habitait les forêts autour de la lointaine ville perchée de Tannenbourg, dans l'Est. La toison de ces bêtes exceptionnelles était si précieuse, racontait-on, que le moindre col ou poignet fourré multipliait par mille la valeur d'une veste ou d'un manteau bien coupé.

Les belles dames et beaux messieurs de l'allée du Galop et du mail de la Régence n'ont pas tardé à rivaliser pour avoir le plus haut col et le plus généreux poignet orné de l'exquise garniture westphalienne. C'était la mode, simplement, et je n'y aurais plus prêté attention sans la sinistre aventure qui allait m'arriver par une fin d'après-midi de printemps humide, alors que je me dirigeais vers les austères bureaux de loi de Vaillant et Climk.

Le jeune Valentin Vaillant et le vieil Aloïs Climk étaient des clients réguliers. J'avais pris chez les deux avocats une liasse de convocations que j'avais portées, comme de coutume, puis je regagnais leurs bureaux, selon mon habitude. Une mission ordinaire par une journée ordinaire – du moins le croyais-je.

À quel point je me trompais !

Rien n'aurait pu me préparer au spectacle qui s'est offert à mes yeux sur les vieux toits de l'étude tandis que j'empruntais mon raccourci habituel. Ce spectacle m'a glacé le sang…

Chapitre 3

Mais pour que vous compreniez toute l'horreur des événements qui ont commencé cette nuit-là, il faut que je vous parle de mon ami, le vieux Benjamin.

Du plus loin que je m'en souvienne, le vieux Benjamin habitait un petit logement miteux dans ce grand immeuble à pan coupé, au carrefour entre la ruelle de l'Eau et le passage du Chien-Noir. Pendant des années, si je ne me trompe pas, il avait conduit en ville un carrosse à quatre chevaux. Bien sûr, avec sa bouille ridée et sa tignasse en bataille, il m'avait toujours paru vieux… mais tous les mômes trouvent que les adultes ont l'air vieux, vous ne croyez pas ?

Bref, quand j'étais mioche, je le voyais s'installer dehors ses jours de congé. À n'importe quelle heure du jour ou de la nuit, il tirait un vieux siège de cocher branlant sur le trottoir et, assis là, regardait le va-et-vient des gens.

Certaines fois, il était d'humeur charmante : il saluait les promeneurs, riait et plaisantait avec tous ceux qui s'arrêtaient pour bavarder. D'autres fois, il était aussi malheureux qu'un chien privé d'os à moelle, et il maudissait le canasson du charretier à cause du crottin fumant sur les pavés, reprochait aux gamins des rues de jeter des oranges pourries contre les fenêtres, menaçait du poing les riches élégants et aristos qui ne daignaient pas incliner leur chapeau lorsqu'ils passaient en hâte.

Mais je dois dire qu'il était toujours gentil avec moi. Très souvent, il m'interrompait sur le trajet d'une course et me donnait une petite commission supplémentaire : porter un message à un de ses collègues cochers à l'autre bout de la ville ou lui faire quelques achats. Puis il me lançait une pièce de monnaie en récompense – une petite somme, néanmoins suffisante pour un bonbon ou un verre de jus de fruits…

Si jamais il m'apercevait à pied pendant qu'il conduisait son carrosse, il s'arrêtait et me laissait voyager gratuitement sur la plate-forme supérieure.

J'avais une adoration pour ce carrosse. Il était plus petit que ceux d'aujourd'hui. Il n'y avait pas d'escalier pour monter sur l'impériale, juste des barreaux à l'arrière. Et une fois qu'on avait grimpé, il fallait s'asseoir, dos à dos avec les passagers déjà installés, sur un banc étroit – la planche-couteau, comme l'appelait le vieux Benjamin – qui se dressait au milieu du toit. Et rien pour se tenir, aucune protection contre les intempéries ! Nous, les passagers, nous cramponnions de toutes nos forces les uns aux autres chaque fois que nous tournions à un angle, en hurlant de peur et de rire...

Oui, le vieux Benjamin était un grand ami. Plus tard, bien sûr, il avait dû prendre sa retraite, à cause du « poumon du cocher », cette toux sèche provoquée par la poussière des écuries et l'air citadin chargé de suie ; depuis lors, il passait le plus clair de son temps sur son fameux siège de cocher.

C'est là que je l'ai vu, un beau matin de printemps ensoleillé, tandis que j'effectuais une course. Il avait mauvaise mine, des cernes sombres sous ses yeux bleu pâle, son épaisse tignasse de cheveux gris doré en bataille.

– Edgar, a-t-il dit en me voyant arriver.

Le sourire qui s'est épanoui sur ses lèvres a révélé des dents tachées ou manquantes.

– Edgar Destoits, jeune freluquet. Tiens donc ! Qu'est-ce qui t'amène – *khaaagh khaaagh...*

Un accès de toux brutal a interrompu ses civilités. Il a tendu la main vers moi, ses yeux pâles larmoyant et son visage devenant cramoisi alors qu'il essayait en vain de parler. La toux s'aggravait de seconde en seconde, elle gargouillait dans sa gorge et résonnait dans sa poitrine.

– *Khaaagh... khaaagh... khaaagh... khaaagh...*

Les yeux exorbités, suffoquant, il semblait être prêt à s'effondrer sur place, sans vie.

– *Khaaagh... khaaagh... khaaagh...*

Avec de grands gestes désespérés, il m'a indiqué son dos. J'ai obéi : je me suis avancé pour lui donner des tapes vigoureuses entre les omoplates.

À ma grande horreur, sa toux a empiré. Soudain, la respiration sifflante, il s'est immobilisé. Sa tête est retombée sur sa poitrine.

– Ça... ça va ? ai-je demandé nerveusement.

Il m'a regardé, le visage blanc comme un linge.

– Mon poumon du cocher... c'est de pire... en pire, a-t-il murmuré, le souffle entrecoupé, secouant la tête avec tristesse tandis qu'il peinait pour répondre.

– Vous devriez consulter un médecin, ai-je suggéré.

– Un médecin ! Ne me parle pas des médecins ! a répliqué le vieux Benjamin dans une agitation soudaine. Ils t'examinent deux minutes, ils utilisent un tas de mots recherchés, puis ils te conseillent une cure de repos à la montagne ou au bord de la mer. Et leur précieux avis te coûte une fortune. Pouah !

Il a eu un mouvement de dégoût.

– Non, ce qu'il me faut, jeune Edgar, c'est une bonne vieille panacée : une potion ou un fortifiant, qui me requinque. Tu vois le genre de préparation...

Je voyais très bien de quoi il s'agissait. Des spécialités pharmaceutiques de charlatans, il y en avait des dizaines sur le marché. Un seul problème : la moitié d'entre elles risquaient beaucoup plus de nuire que de guérir, raison pour laquelle très peu restaient en vente longtemps.

La poudre contre la fièvre du docteur Jolyon, par exemple, a été retirée des étagères quand on a constaté qu'elle faisait non pas baisser, mais monter la température des malades ; les cachets riches en fer de Maurice ont disparu du commerce, car leurs utilisateurs prenaient la couleur de la rouille ; quant à la potion de Godefroy, beaucoup estiment qu'elle est la cause la plus probable de toute une série de décès effroyables divulgués dans l'est de la ville.

L'un des récents médicaments très en vogue a été le tonique de la vieille mère Cotillon. Malgré les affirmations de l'inventeur – « il peut être pris en toutes circonstances, ne nécessite ni régime particulier ni alitement » et « auxiliaire *ad hoc*, il délivre immanquablement de n'importe quelle maladie et réconforte les cœurs frappés par l'adversité » –, je crois que le caractère provisoire de ses effets secondaires était le meilleur argument en sa faveur. Certes, tous vos cheveux tombaient, ce qui pouvait être traumatisant, mais ils repoussaient, en général.

Cependant, j'ai promis au vieux Benjamin de chercher un remède qui puisse l'aider, et je suis reparti. Comme je m'engageais dans la ruelle de la Mission, j'ai entendu l'écho de sa terrible toux dans la rue derrière moi. Il faudrait que ce soit un remède miracle, me souviens-je avoir pensé, vu l'état des poumons du vieux cocher.

Je dois avouer, à ma profonde honte, que j'ai oublié le vieux Benjamin et sa toux presque aussitôt après. Je croulais sous le travail à cette période – plusieurs nouveaux clients avec une foule de problèmes, du léger désagrément causé par le perroquet tapageur d'un marchand des quatre saisons à une dispute d'envoyés tic-tac, qui menaçait de mal tourner, sur la vente des billets aux courses hippiques. Et puis, bien sûr, il y avait cette affaire macabre dans laquelle je m'étais laissé entraîner au théâtre de marionnettes hanté...

Bref, lorsque j'ai revu le vieux Benjamin environ un mois plus tard, ce jour fatidique où j'avais tout juste fini de porter les convocations et où je regagnais les bureaux de Vaillant et Climk, un sentiment de culpabilité m'a envahi dès que nos regards se sont croisés. La nuit venait, mais il était encore dehors, assis sur son vieux siège de cocher.

– Tiens, tiens, tiens ! s'est-il exclamé. Voyez qui réapparaît comme un mauvais souvenir !

Il a tendu le bras pour me saluer.

– Benjamin, ai-je dit.

Nous nous sommes serré la main avec chaleur.

– Je n'ai pas oublié votre médicament, ai-je prétendu ; mais j'ai été trop occupé pour jeter un œil sur les potions ou les teintures...

– Inutile ! a répondu gaiement le vieux Benjamin. J'ai trouvé quelque chose lors d'un brin de causette avec un passant, il y a quelques semaines. Il s'était arrêté pour admirer mes beaux cheveux. Je l'ai remercié, en lui expliquant qu'ils avaient repoussé quand j'avais renoncé au tonique de la vieille mère Cotillon. L'anecdote l'a fait sourire, et quand je me suis mis à tousser, il m'a recommandé ceci…

Le vieux Benjamin a fouillé dans la poche de sa veste et en a sorti une bouteille en verre bleu portant une étiquette noir et argent. Il a baissé les yeux, froncé les sourcils, puis s'est éclairci la voix.

– *Potion du docteur Mandragore*, a-t-il lu. C'est un miracle ! Ma toux a complètement disparu et je ne me suis jamais senti aussi bien de ma vie.

Il s'est de nouveau concentré sur l'étiquette.

– *Élixir efficace pour améliorer les capacités mentales et physiques…*

Il a relevé la tête, un sourire édenté aux lèvres.

– Devine quoi, Edgar, a-t-il ajouté. Cette potion a même amélioré ma vue !

Il a ôté le bouchon, nettoyé le goulot avec sa paume et m'a tendu la bouteille.

– Une lampée ? m'a-t-il proposé. C'est un vrai tonique.

– Vous êtes très gentil, ai-je répondu, mais non. Je me porte bien.

J'ai lancé un petit rire, en me gardant d'ajouter que, même malade, pour rien au monde je n'aurais bu la mixture d'un charlatan. J'ai jeté un coup d'œil sur l'étiquette avant de lui rendre le flacon : *Dr Théophile Mandragore, 27 place Debiche.*

Place Debiche ! Le lieu était célèbre pour son opulence, avec ses grands hôtels particuliers, aux escaliers de marbre, entourant un parc très chic. Les docteurs en médecine les plus fortunés, les plus éminents et les plus prestigieux de toute la ville y habitaient. La plupart d'entre eux avaient gagné des sommes colossales en soignant les maladies (réelles ou imaginaires) des riches ; ils étaient peu à soulager parfois les maux bien réels qui ravageaient les quartiers misérables de la ville.

Sans doute ce médecin était-il l'exception qui confirme la règle ; sans doute avait-il eu pitié du vieux Benjamin. Pourquoi, sinon, lui aurait-il offert une potion qui, vu son apparence, était bien trop chère pour un vieux cocher ?

Cependant, il était déjà arrivé que des médecins moins réputés testent leurs préparations pharmaceutiques sur les pauvres et les désespérés, au cas où il y aurait eu des effets secondaires. Mais je manquais peut-être d'indulgence.

J'ai regardé mon ami avec plus d'attention. Ses joues étaient colorées, ses yeux pétillaient. En fait, on aurait dit un homme neuf. Sa toux avait indéniablement disparu. Un heureux hasard ? Eh bien, si tel était le cas, bonne chance à lui, ai-je pensé alors que je le saluais et reprenais le chemin des bureaux de Vaillant et Climk pour recevoir le salaire de mon travail.

Je me souviens que les dalles et les pavés étaient plus glissants que d'habitude, car il y avait eu des averses plus tôt dans la journée – non que la pluie ait réussi à chasser le voile de fumée brunâtre qui recouvrait la ville en permanence. Ma canne-épée coincée sous le bras, j'ai descendu le passage du Turbot, franchi le mur de l'usine sidérurgique Dacier, traversé la cour qui s'étend au-delà, avant d'escalader un tuyau rouillé à l'autre bout et de me hisser sur le toit.

À l'instant où j'ai enjambé la gouttière et posé le pied sur les tuiles – ce qui a dérangé une petite volée de moineaux gazouillants –, je me suis surpris à sourire aux anges. Pour ne rien vous cacher, c'étaient des moments de bonheur intense, loin au-dessus des rues de la ville, à parcourir les toits, de cheminée en cheminée.

On appelle ça la voltige des sommets ; déconseillé aux peureux ! Un envoyé tic-tac nommé Tom Silex m'a enseigné cet art quand j'ai débuté dans la profession. Bon vieux Tom… Il avait deux ou trois ans de plus que moi, il était le meilleur voltigeur en activité… jusqu'au jour où il s'est rompu le cou dans la ruelle de la Garenne. Hugues Pelleteur s'est estropié peu de temps après, et Pierre Moustique s'est noyé en tombant dans le canal de l'Union. Nous ne sommes plus très nombreux, nous les voltigeurs. Mais je ne laissais pas ces sombres pensées m'inquiéter ce soir-là, sur les toitures, tandis que je voltigeais au-dessus de la ville, bondissant de pilier en pignon, de frise en fronton, de toit en toit, avec l'agilité arrogante d'un matou cavaleur.

La pleine lune se montrait déjà et, marchant vers le sud-ouest, je m'orientais dans le crépuscule grâce à la flèche de la banque mutualiste Crépisseur, puis à la grande cheminée en brique, noire de suie, qui surplombait l'usine de colle Gréville. En réalité, je ne leur prêtais guère attention. Étant venu ici des dizaines de fois, je connaissais le chemin à la perfection, comme une foule d'autres itinéraires dans toute la ville. Alors que j'avançais sur le patchwork des toitures, c'était la semaine à venir qui occupait mon esprit.

Je repensais au professeur Rosier-Desgranges et à sa recherche sur le comportement des bouvreuils, pour laquelle il m'avait prié de l'aider. Je réfléchissais à une demande que j'avais eue de livrer une caisse de vipères à la Société herpétologique de la chapelle noire ; si le temps continuait à s'adoucir, les reptiles seraient dangereusement actifs. Je me promettais aussi de rendre les livres sur les hiéroglyphes mayas que j'avais empruntés à la bibliothèque d'Inframont pour les érudits de l'Arcane, sans quoi je paierais une grosse amende…

Un coup d'œil au loin : une douce brume enveloppait la tourelle de l'étude de Vaillant et Climk et sa coupole. Derrière elle, la pleine lune était montée dans le ciel. Des pigeons fendaient l'air enfumé,

Bondissant de pilier en pignon, avec l'agilité arrogante d'un matou cavaleur...

leurs ailes battantes semblaient lancer des applaudissements étouffés.

L'immense cheminée en brique de l'usine Gréville était désormais sur ma gauche. Je sentais la chaleur irradier du four en contrebas ; je percevais l'odeur fétide, écœurante, de la colle qui bouillonnait. L'air miroitait.

Je suivais le parapet qui constituait le bord de l'édifice à toiture-terrasse, les bras tendus pour garder l'équilibre, m'efforçant de ne pas glisser, lorsque j'ai soudain eu l'intuition que quelque chose n'allait pas...

Les moineaux qui m'accompagnaient jusque-là se sont subitement envolés dans un tourbillon de gazouillis. Le ciel avait une étrange densité tandis que des volutes de nuages sombres passaient devant la lune, et d'âcres effluves flottaient. Tout à coup, comme le vent tombait, j'ai perçu avec acuité un mouvement derrière moi.

J'ai fait volte-face.

À première vue, tout paraissait normal. Mon imagination me jouait-elle des tours ? La puanteur de la colle me montait-elle à la tête ?

Mais alors même que je m'apprêtais à repartir, j'ai entraperçu dans les ombres quelque chose qui m'a rempli d'effroi. Il y avait bien quelque chose ! Aucun doute possible. Une forme large et massive, accroupie dans le recoin obscur au pied du mur en brique.

J'ai entendu un sifflement. Puis un grognement sourd, hargneux. Et lorsque les nuages qui masquaient la lune se sont écartés, je me suis trouvé face à une paire d'yeux jaunes étincelants.

Tout tremblant, j'ai reculé avec lenteur. Dans le même temps, le grognement a enflé, la silhouette sombre s'est dressée sur l'horizon et s'est contractée.

La mystérieuse créature se préparait à bondir…

Dans le ciel, les nuages filaient devant le grand disque argenté de la pleine lune, dont les rayons se déployaient en éventail sur les toitures. Et dans la lumière d'argent limpide, j'ai vu des crocs humides et des griffes polies scintiller. J'ai sorti l'épée de ma canne en ébène, mes idées se bousculant.

La bête qui me dévisageait depuis le faîte du toit d'en face était énorme, malveillante et résolue à tuer. Tandis que je braquais la pointe de ma lame entre ses deux yeux étincelants, la bouche plus sèche que l'établi d'un tailleur de pierre et le cœur martelant comme le poing d'un huissier, j'étais néanmoins intrigué.

Dans mon parcours d'envoyé tic-tac et de voltigeur, j'avais maintes fois rencontré les féroces animaux sauvages qui peuplaient les sombres recoins de la ville. J'avais combattu des rats aussi gros que des matous, subi les attaques d'aigles marins sur la Rive droite et même capturé deux babouins à museau bleu qui s'étaient enfuis de l'exposition d'animaux exotiques de M. Chicaneur.

Mais cette créature-ci était différente. Il y avait une dimension exceptionnelle dans sa taille immense et son regard hideux. Une dimension indiciblement mauvaise…

Alors, elle a bondi.

J'étais planté là, épée levée, genoux tremblants. Une fraction de seconde plus tard, dans un éclat de fourrure et de fureur, la créature infernale fondait sur moi, ses énormes pattes antérieures tendues, ses griffes cruelles pointées vers mon cœur battant.

Tout ce que je pouvais dire avec certitude en ces instants terrifiants, c'est qu'elle était grosse, beaucoup plus grosse que je ne l'aurais cru. Avec ses longues pattes, sa tête massive et son torse d'une puissance monstrueuse, elle n'était manifestement pas un animal ordinaire.

À la toute dernière seconde, je me suis vivement écarté vers la gauche et j'ai sauté sur la toiture-terrasse en contrebas. Au-dessus de ma tête, j'ai entendu un crissement de griffes et un grognement furieux : la créature touchait le parapet à l'endroit précis où je me tenais un instant plus tôt.

Je me suis retourné et trouvé de nouveau face à ces diaboliques yeux jaunes. La créature se découpait sur la pleine lune, forme noire menaçante qui venait dans ma direction.

La créature se découpait sur la pleine lune...

J'ai fait un pas en arrière, mon épée toujours dégainée devant moi. La forme noire s'est approchée. Sur le toit, nous nous sommes déplacés – moi reculant, la créature avançant – tandis que la lune brillait par intermittence, selon la course des nuages…

Soudain, j'ai senti une douleur cuisante en haut de mon bras droit (mon bras armé), douleur si intense que je n'ai pu retenir un cri. Jetant un coup d'œil par-dessus mon épaule, j'ai constaté que j'avais heurté une cheminée en métal. Sa chaleur avait troué le tissu de ma veste et marqué ma peau. L'odeur écœurante et âcre de ma propre chair brûlée m'a rempli les narines, un vertige m'a saisi et mes jambes ont faibli – mais je savais que si je m'évanouissais, je serais perdu.

J'ai contourné la cheminée fumante avec précaution et avisé une lucarne qui rougeoyait dans le toit un peu plus loin. C'était mon seul espoir.

J'ai reculé à petits pas dans sa direction, sans jamais cesser de porter des attaques et des bottes vers la créature indistincte, afin de tenir en respect ces grandes mâchoires baveuses. Puis, lorsque mes talons ont atteint le bord de la lucarne, je me suis arrêté un instant et j'ai baissé mon épée.

Comme je l'espérais, le stratagème a fonctionné. Avec une hargne épouvantable, mon horrible poursuivant a bondi une nouvelle fois – mais votre serviteur s'est écarté tel un matador qui esquive la charge d'un taureau. La grande forme noire est passée comme un éclair et a percuté la vitre de la lucarne, qui a volé en éclats sous son poids. Au bout de quelques secondes, un « plouf ! » sonore et visqueux est monté de la salle en contrebas.

Faisant attention de ne pas tomber, je me suis penché pour regarder : un vaste chaudron de colle bouillait, des rubans de vapeur dansaient au-dessus du liquide marron, pâteux, qui s'agitait et moussait. Alors, une grosse tête enduite de colle a fait surface, mâchoires ouvertes, et lancé un hurlement de douleur effroyable avant de sombrer à nouveau dans les profondeurs du récipient.

Tout d'abord, je suis resté à genoux, cloué sur place, en essayant de retrouver mon calme et de rassembler mes idées. Pas facile, je vous assure, entre ma douleur à l'épaule et la puanteur accablante des lieux. C'est seulement lorsque les remueurs de colle et les techniciens de cuve au niveau inférieur de l'usine ont commencé à m'interpeller que j'ai repris mes esprits.

– Eh, vous là-haut !

– Que se passe-t-il ?

– Qu'est-ce que vous fabriquez ?

Ce n'était pas le moment de s'expliquer. Je me suis écarté de la lucarne brisée, j'ai ramassé ma canne en ébène, rengainé mon épée et filé – encore chancelant, mais trottant. Les voix furieuses n'ont pas tardé à s'affaiblir tandis que je gagnais l'extrémité du toit de l'usine, prenais mon élan pour franchir d'un bond le vide au-dessous de moi et atteignais la colonnade en saillie du bâtiment voisin. Moins de dix minutes plus tard, j'arrivais sur le toit du haut édifice gothique qui abritait l'étude de Vaillant et Climk.

À ma droite se trouvait un long et mince tuyau de descente torsadé qui allait jusqu'au trottoir. D'ordinaire, je l'aurais saisi et me serais laissé glisser en un clin d'œil. Mais pas ce soir-là : mon épaule était devenue très douloureuse. La brûlure me causait des élancements terribles, et chaque fois que je bougeais le bras, la douleur empirait.

Je n'avais pas d'autre solution que crocheter la serrure de la porte menant du toit à la cage d'escalier et me diriger vers les marches – et même cette formalité s'est révélée difficile. L'opération, qui m'aurait pris une petite minute en temps normal, m'en a demandé presque cinq. Le cliquetis caractéristique a pourtant fini par se faire entendre, et j'ai pénétré dans la cage d'escalier du grand édifice.

Les bureaux de Vaillant et Climk étaient installés au troisième étage. J'ai quitté l'escalier ; la porte, avec les deux noms des avocats gravés côte à côte, en lettres d'or, sur le panneau de verre, est apparue devant moi. Je me suis concentré autant que possible, j'ai frappé et je suis entré.

Le jeune M. Valentin Vaillant et le vieux M. Aloïs Climk étaient assis, comme de coutume, à des secrétaires placés contre le mur de part et d'autre d'une petite fenêtre crasseuse. Tous deux ont levé la tête.

– Ah, Edgar ! m'a salué le vieil Aloïs Climk en se calant dans son fauteuil.

De la poche de son gilet élimé, il a sorti sa montre de gousset et l'a consultée avec ostentation.

– Vous venez pour votre paie, n'est-ce pas ?

– Oui, monsieur, ai-je répondu. Toutes les convocations ont été remises et les reçus signés.

Le jeune Valentin Vaillant avait quitté son siège, pris une enveloppe cachetée en haut du classeur derrière lui, et s'avançait vers moi. L'enveloppe contenant mon salaire dans une main, il a tendu l'autre dans ma direction… et a reculé, horrifié.

– Mon cher ami ! s'est-il écrié. Au nom de tout ce qui est sacré, que vous est-il arrivé ?

– Oh, ça, ai-je dit d'un ton que j'espérais indifférent, car je n'avais pas du tout l'intention de raconter aux deux messieurs ma rencontre avec le loup monstrueux. Un petit accident. J'ai heurté la cheminée de l'usine de colle. Mais ce n'est rien. Juste une légère brûlure…

Valentin Vaillant, lui, ne l'entendait pas de cette oreille. Il m'a donné ma paie puis a examiné la brûlure sous le tissu déchiré et roussi de ma veste.

– Mais c'est épouvantable, a-t-il déclaré. Regardez donc, monsieur Climk.

Son associé l'a rejoint une seconde plus tard et a lancé une exclamation compatissante.

– Vous avez raison, monsieur Vaillant, cette plaie n'est pas jolie, a-t-il murmuré en secouant la tête.

– Il faudra voir un médecin, m'a dit Valentin Vaillant. Qu'il vous prescrive quelque chose…

– Et en attendant, monsieur Vaillant, une cuillerée de ma propre potion ferait peut-être du bien à notre jeune Edgar.

M. Climk est retourné en hâte à son secrétaire, dont il a sorti une petite bouteille bleue avec un bouchon en verre et une étiquette noir et argent que j'ai reconnue au premier coup d'œil.

– La potion du docteur Mandragore, a-t-il annoncé, radieux, prêt à m'en verser une cuillerée. Ses effets sur moi ont été prodigieux, cher jeune homme. Je ne m'étais pas senti aussi bien depuis des lustres.

J'ai levé la main pour l'arrêter.

– Merci, monsieur Climk, ai-je refusé avec un faible sourire, mais toutes ces années de commis ambulant m'ont valu quantité de plaies, de bosses et d'égratignures. Je m'en occuperai moi-même, si vous n'y voyez pas d'inconvénient.

– Comme vous préférez, Edgar. Comme vous préférez. Mais vous auriez grand intérêt à consulter le bon docteur Mandragore en personne ; je réglerais la note.

M. Climk a souri.

– Vous êtes un excellent envoyé tic-tac et je ne voudrais pas vous perdre !

Il m'a donné une carte de visite au contour doré. Dans l'angle supérieur gauche, un petit disque solaire déployait ses rayons sur le reste du bristol. En caractères italiques noirs et soignés figuraient les mots :

Dr Théophile Mandragore
27 place Debiche

Je l'ai remercié gentiment et, l'enveloppe contenant mon salaire du jour bien rangée dans la poche intérieure de mon gilet, j'ai salué MM. Vaillant et Climk et pris le chemin du retour.

Même si je ne comptais pas m'offrir un coûteux examen médical, j'étais touché que le vieux monsieur s'inquiète de ma santé. Cependant, une compresse froide et une bonne nuit de sommeil me suffiraient.

Avec mon bras blessé, voltiger sur les toits s'annonçait trop dangereux, surtout qu'une petite bruine recommençait à tomber, rendant les tuiles et les cheminées glissantes. J'ai donc emprunté l'itinéraire classique, par les rues, pour m'éloigner du quartier sud-ouest et regagner ma mansarde dans le nord de la ville.

Le destin a voulu que j'arrive au carrefour entre la ruelle de l'Eau et le passage du Chien-Noir, et c'est l'endroit où je l'ai aperçu, devant l'immeuble à pan coupé. Il était griffé et déformé, avait un pied brisé, les accoudoirs et le dossier éclaboussés de sang – mais on ne pouvait pas s'y tromper.

Je me suis arrêté net, bouche bée. Mon cœur s'est mis à battre la chamade dans ma poitrine. Car il y avait là, renversé, abandonné dans le caniveau, le siège du vieux Benjamin.

Chapitre 5

Je me suis accroupi pour regarder de plus près le siège de cocher renversé. Des objets apparemment anodins peuvent nous apprendre une étonnante foule de choses, si on les examine avec assez d'attention.

La rainure usée sur le boîtier d'une montre de poche, la suie sur le gant d'un valet de pied et un fil défait au bord d'une robe élégante peuvent en dire beaucoup à un observateur attentif. Ils racontent, par exemple, l'histoire de la superbe fille d'un propriétaire de mine qui descend d'un carrosse, escortée par un valet de pied à l'ongle du pouce déchiqueté ; l'histoire d'un amour tragique, d'une trahison amère et des conséquences cruelles qui ont presque brisé le cœur d'un certain envoyé tic-tac…

Comme je l'ai dit, les objets peuvent révéler une stupéfiante quantité d'informations, si on les examine avec assez de soin.

En inspectant le siège du vieux Benjamin, j'ai découvert de profonds sillons dans le bois lisse des accoudoirs. Les longs copeaux en spirale évoquaient un instrument tranchant et courbe. Un ciseau de menuisier, peut-être. Une pince-monseigneur ou un poinçon. Voire, ai-je pensé en constatant que les sillons étaient parallèles les uns aux autres, un outil à dents, un genre de râteau.

Ou bien alors… – mon cœur s'est remis à battre la chamade – des griffes en étaient-elles la cause ?

Le pied gauche était cassé. Sans doute, me suis-je dit, parce que le siège avait basculé violemment dans le caniveau. Des gouttelettes de sang imprégnaient la tapisserie et tachaient le tissu depuis les accoudoirs jusqu'au grand dossier du siège. Et il y avait, accrochés à de nombreux endroits, d'épais poils noirs. J'en ai retiré quelques-uns avec précaution, je les ai glissés dans un bout de papier puis rangés dans la poche de poitrine de mon gilet.

Je me suis redressé avec un murmure triste. Une image commençait à se former dans ma tête : une image du vieux Benjamin assoupi sur son siège de cocher sous la pleine lune couleur argent…

Soudain, une énorme créature sanguinaire, aux yeux jaunes étincelants, bondit au coin de la rue. Avant que le vieux Benjamin comprenne ce qui s'abat sur lui, la créature l'attaque, lance coups de griffes et coups de dents. Le siège tombe avec fracas dans le caniveau…

Le loup infernal déguerpit… Par une porte ouverte, il s'engouffre, enfile une cage d'escalier, déboule sur les toits pour hurler à la lune – c'est là que je le rencontre. Pendant ce temps, devant son immeuble (à deux pas de l'usine de colle), le vieux Benjamin, couvert de sang et horrifié, se traîne pour demander de l'aide…

Il y a mille et une façons de perdre la vie dans notre cité. D'après les statistiques que j'ai pu lire, s'endormir à côté d'une lampe à gaz défectueuse et boire de l'eau souillée sont les plus fréquentes, quoique les moins spectaculaires. J'ai vu un certain nombre de morts effroyables dans mon existence, je vous le garantis. Depuis les moteurs d'usine qui s'emballent jusqu'à la dysenterie. Mais périr déchiqueté par une bête féroce serait assurément l'une des manières les plus atroces de quitter cette terre.

Mon hypothèse présentait un seul problème : si le vieux Benjamin avait en effet été déchiqueté, il y aurait eu bien plus que des éclaboussures sur le siège, et une traînée de sang se serait éloignée du lieu de la tragédie. Or j'ai eu beau scruter le trottoir voisin, je n'ai rien vu. Pas la moindre trace. Le vieux Benjamin, semblait-il, s'était tout simplement volatilisé.

– Volatilisé ! a lancé une voix perçante et vulgaire, comme si elle se faisait l'écho de ma pensée.

Je me suis retourné : la propriétaire grincheuse du vieux Benjamin, Mme Gargoule, se tenait sur le seuil de son immeuble, les bras croisés d'un air agressif.

– Au milieu de la nuit ! a-t-elle tempêté. Il s'est sauvé à pas de loup, sans même demander la permission !

C'était une femme maigre, pauvrement vêtue, coiffée d'une casquette crasseuse qui retenait mal sa tignasse teinte en roux. Une pipe en terre sortait de sa bouche édentée et tremblait au-dessus de son menton barbu pendant qu'elle parlait.

– Le vieux Benjamin était-il en retard sur son loyer ? ai-je demandé.

Mme Gargoule a tiré sur sa pipe.

– Pas plus que d'habitude, a-t-elle répondu. Mais je savais qu'il se passait quelque chose. Ces dernières semaines, il avait changé. Un homme neuf ! Plein d'entrain et d'énergie, comme un jeune gaillard ! Peut-être qu'il est parti chercher l'aventure. Mais il aurait tout de même pu m'avertir… a-t-elle ajouté, boudeuse.

– Quand l'avez-vous vu pour la dernière fois ?

Je me suis promis de me renseigner sur les admissions à l'Hôpital urbain des nécessiteux et à l'Hospice de bienfaisance pour cochers retraités, au fond de la cour de l'Encrier.

Mme Gargoule a gratté son menton velu d'un air pensif.

– Il y a environ une heure, mon chou.

Elle m'a fait un sourire édenté, puis son visage est devenu interrogateur.

– Quand j'ai regardé par la fenêtre, il était dehors, assis sur son fameux siège : il contemplait la lune et il gloussait dans sa barbe. Je suis allée au lit… et voilà-t-il pas qu'un hurlement épouvantable et un terrible fracas me réveillent.

– Un hurlement et un fracas, ai-je répété, songeur.

– J'ai jeté un coup d'œil dehors, mais la rue était déserte. Bon… Il y a un petit moment, l'affaire m'est revenue à l'esprit. Impossible de dormir, je redoutais que le vieux Benjamin soit allé se coucher sans éteindre le gaz correctement. Je vous le dis, ça n'aurait pas été une première ! Je suis donc descendue chez lui, j'ai frappé, mais pas de réponse ; alors, je suis entrée : le vieux Benjamin s'était… euh… comme qui dirait…

– Volatilisé ? ai-je suggéré avec obligeance.

– Il avait filé à pas de loup ! s'est écriée Mme Gargoule.

– Un message pour monsieur Benjamin Bravesire ! a lancé une voix mal élevée derrière nous.

Nous avons fait volte-face.

Là, descendant la rue sans se presser, comme s'il avait l'éternité devant lui, arrivait un envoyé tic-tac débraillé, corpulent, vêtu d'un gilet brodé et d'un borsalino luisant à large bord.

– Benjamin Bravesire s'est absenté, ai-je répondu d'un ton doucereux. Mais je lui transmettrai volontiers le message.

L'envoyé tic-tac a bâillé et s'est gratté la tête.

– Ça m'est égal, a-t-il déclaré.

Nonchalamment, il a sorti une enveloppe du ruban de son borsalino et me l'a tendue de ses doigts boudinés, tout graisseux.

J'ai pris l'enveloppe avec dégoût entre le pouce et l'index et j'ai regardé l'inscription en lettres épaisses, chargées de fioritures.

M. Benjamin Bravesire
1 passage du Chien-Noir

URGENT
À porter avant l'allumage des réverbères

– Mais vous avez *des heures* de retard… ai-je commencé.

Ce malotru d'envoyé tic-tac s'est contenté de sourire et, tout en bâillant, il a pivoté sur ses talons. Puis il s'est esclaffé :

– Comme je vous l'ai dit, ça m'est égal !

Tandis que je l'observais qui descendait la rue en se dandinant, lent personnage au gilet ridicule et au chapeau coûteux, je me suis permis un sourire narquois. Avec des envoyés tic-tac tels que lui, trop paresseux pour escalader un mur, sans parler d'une cheminée, j'aurais toujours du travail !

– Faut-il l'ouvrir ? a chuchoté Mme Gargoule d'un air de conspiratrice, la voix emplie de curiosité et d'une certaine avidité.

Bien sûr, dans le cadre de ma profession, je n'envisagerais pas un instant d'ouvrir l'un des mots ou des messages que l'on me confie. Mais dans le cas présent… je n'étais pas un simple professionnel, à l'évidence. Pas avec le vieux Benjamin. J'étais son ami, et je m'inquiétais pour lui.

J'ai brisé le cachet au dos de l'enveloppe et sorti la lettre. J'ai froncé les sourcils en la dépliant. Elle ressemblait en tous points à la carte de visite que le vieil Aloïs Climk m'avait donnée : du beau papier rigide, un contour doré. Dans le coin supérieur gauche brillait un disque solaire, qui déployait ses rayons sur la feuille, tandis qu'en haut à droite figuraient le nom et l'adresse de l'expéditeur.

Je suppose que je suis resté ainsi quelques instants, déconcerté, les yeux fixés sur les mots bien connus. Puis la voix de Mme Gargoule a fait irruption dans mes pensées.

– Lisez-la-moi, vous serez gentil, disait-elle. Ma vue n'est plus aussi bonne qu'autrefois…

J'ai hoché la tête et toussoté.

Cher M. Bravesire,

Veuillez vous présenter ce soir à mon cabinet de consultation, avant le coucher du soleil, pour l'achèvement du traitement qui, je suis certain que vous en conviendrez, s'est révélé très efficace.

Je vous administrerai l'ultime dose de ma potion dans l'artère, au moyen d'une seringue.

Attention !

Ce mot, plus gros que les précédents, était souligné.

Si vous ne receviez pas cette ultime dose, il pourrait en résulter des effets secondaires absolument désastreux.

NE SOYEZ PAS EN RETARD !

Salutations distinguées...

La lettre était signée du bon docteur avec un trait de plume sinueux.

Théophile Mandragore, docteur en médecine, ancien interne des hôpitaux, professeur honoraire.

– Dommage, a dit Mme Gargoule, vidant sa pipe contre le chambranle et retournant chez elle. J'espérais un ou deux billets. Enfin, bon débarras ! Voilà ce que je dis.

La porte a claqué.

J'ai replié la lettre et je l'ai placée dans la poche arrière de mon gilet. Mon épaule me faisait très mal et je tombais de fatigue. Tout ce que je voulais, c'était une nuit de sommeil paisible. Mais j'avais une certitude : le lendemain, je rendrais visite au bon docteur.

Lorsque la lumière du soleil s'est glissée entre les rideaux le lendemain matin, j'ai constaté que, malgré la compresse froide, mon bras restait endolori. M'étant levé, j'ai changé le pansement et serré le tout dans du tissu ouaté et une bande. Ce n'était pas l'idéal, mais tant que je ne faisais pas trop d'efforts, je savais que l'ensemble tiendrait bon.

Je me suis habillé, j'ai traversé la pièce pour ouvrir la fenêtre… et je me suis figé, tressaillant. La vue des cheminées couronnant les toits jusque dans le lointain m'a fait trembler d'appréhension, car elle ramenait à ma mémoire l'horreur de la nuit précédente.

Ce qui était arrivé au vieux Benjamin avait-il un rapport avec le message du docteur Mandragore ? Et si oui, en quoi ?

Il n'y avait qu'une façon de le savoir. Prenant mon haut-de-forme et ma canne-épée, je suis sorti par la fenêtre et j'ai grimpé au faîte de mon immeuble. D'un coup d'œil circulaire, j'ai vérifié que la voie était libre, puis je me suis précipité sur le toit du bâtiment contigu.

La place Debiche se trouvait à l'ouest, comme toutes les résidences cossues de la ville. Durant la majeure partie de l'année, les vents dominants venaient de l'ouest, la zone ne souffrait donc pas de l'abominable puanteur dégagée par les brasseries, les usines de colle, les tanneries, les fourneaux à charbon et les usines à gaz qui trouaient les quartiers est. Le drapeau noir, blanc et jaune de la ville flottant au sommet du musée gothique des Antiquités me servait de repère. Je me suis mis en route, voltigeant sur les toitures, savourant ma sensation de liberté tandis que je bondissais d'immeuble en immeuble.

Sur une grande salle paroissiale désaffectée, j'ai monté lestement un toit d'ardoise jusqu'aux tuiles faîtières dont j'ai suivi la ligne à toute allure, les bras écartés en guise de balancier – un pied juste devant l'autre, prenant garde à ne pas déloger du mortier au passage. J'ai contourné une grande cheminée, puis dévalé la pente pour atteindre une gouttière ornée. Je me suis élancé du toit d'un immeuble d'habitation, des mètres au-dessus d'une ruelle, et j'ai gagné le parapet de l'édifice de bureaux voisin, où j'ai roulé une fois, deux fois sur moi-même avant de retomber sur mes pieds.

Rien, mais vraiment rien, ne peut égaler l'ivresse de la voltige à travers la ville fourmillante, par un beau matin ensoleillé.

Plus ancien et plus grandiose que l'immeuble d'habitation, l'édifice de bureaux que j'avais atteint était décoré d'arcs arrondis, de pinacles coniques et de lucarnes insérées dans le toit pentu. Je les avais parcourus, lui et d'autres semblables, à maintes reprises, et lorsque j'ai longé les lucarnes et jeté un coup d'œil sur les rangées de scribes et d'employés, j'ai remercié ma bonne étoile : quelle chance de ne pas être l'un d'eux, éternel griffonneur, une plume d'oie dans une main, un encrier près de l'autre, un parchemin jauni juste sous le nez !

Sautant de lucarne faîtière en lucarne faîtière, j'ai bientôt atteint l'extrémité du bâtiment où, pour la première fois, j'ai hésité. Mon itinéraire habituel se révélait impraticable, à cause de la démolition inattendue de l'immeuble voisin. Je devais faire un détour.

Dans l'activité d'envoyé tic-tac, on s'accoutume à l'évolution incessante de la ville. Des quartiers sortent de terre, se délabrent, deviennent des taudis, sont détruits – presque du jour au lendemain, dirait-on parfois – et se trouvent aussitôt remplacés par de nouveaux bâtiments, qui se dressent encore plus haut. C'est ce qui rend la voltige des sommets si exaltante – quoique, de temps en temps, dangereusement imprévisible. Néanmoins, en règle générale, je ne pratiquais pas la voltige sur les édifices en construction. J'avais assez d'expérience pour savoir que c'était chercher les ennuis. Mais une fois terminées, les toitures m'appartenaient.

Au fond, comme je l'ai dit, nous n'étions plus qu'un très petit nombre, nous les voltigeurs. Jérémie Zieunoir à l'est, Tibère Martin dans le quartier des docks – mais, pour être franc, je ne l'avais pas vu depuis un an au moins et la rumeur courait qu'il avait pris sa retraite. La plupart des envoyés tic-tac ressemblaient à l'individu que j'avais rencontré la veille. D'incapables rampants collés aux pavés !

J'ai observé les alentours : je n'avais pas à m'écarter beaucoup de mon chemin. Une brève course, un petit saut d'un vieil entrepôt en brique à un bâtiment municipal quelconque, avec des gouttières en plomb et une girouette en forme de navire ; un campanile couvert d'or, un grand bond jusqu'au parapet échelonné d'un centre de pesage, et j'ai rejoint mon itinéraire.

Trois grands bâtiments et une rangée de boutiques plus loin, j'étais presque arrivé à destination. Je savais que je me rapprochais, car même là-haut sur les toits, il apparaissait que les immeubles étaient à la fois mieux construits et beaucoup plus décorés. Tandis que je voltigeais au-dessus de cet agréable quartier de la ville, les inévitables pigeons et moineaux m'escortaient, voletant et gazouillant, indignés qu'une créature dépourvue d'ailes pénètre sur leur territoire.

J'ai réalisé ce que nous, les voltigeurs, appelons un virevoust – un demi-saut périlleux suivi d'une pirouette sur une jambe au sommet d'un support vertical. Acrobatie délicate mais qui, une fois maîtrisée, donne accès aux plus hautes toitures. Ensuite, lançant mes bras vers l'avant, j'ai effectué un grand saut du bord du toit pentu…

Lorsque je suis retombé un instant plus tard, j'ai senti dans mon épaule un élancement qui m'a tiré une grimace de douleur. Je dominais la place Debiche. Je me suis laissé glisser le long de tuyaux, de colonnes… et j'ai touché le sol en souplesse juste devant la grille noire du numéro 27.

Élégante, dangereuse et très, très rapide : je vous le dis, la voltige des sommets est la seule façon de voyager !

J'éprouvais une telle satisfaction, occupé à épousseter mes habits, que j'avais envie de faire la révérence – même s'il n'y avait personne à proximité pour apprécier mon talent. Du moins, c'est ce que je croyais…

– Tiens, tiens, tiens ! a dit une voix grave et rude, aux inflexions sarcastiques. D'où surgissez-vous donc ? J'espère que monsieur ne s'est pas adonné à…

Le ton est devenu dédaigneux.

– … la voltige des sommets !

C'était l'un des agents de police du quartier, aussi brillant et raffiné dans son huit-reflets et son manteau

J'ai réalisé ce que nous, les voltigeurs, appelons un virevoust.

à boutons cuivrés que le secteur où il patrouillait. Ici, dans la partie la plus chic de la ville, ils s'offensaient de voir un envoyé tic-tac arpenter les toits. L'agent m'a dardé un regard accusateur.

– Non, non, ai-je dit en essayant de reprendre haleine et en espérant qu'il ne remarquerait pas la poussière de brique révélatrice sur mes coudes et mes genoux. Seul un imbécile irait escalader les toits au lieu de profiter des excellents carrosses qui sillonnent notre ville.

L'agent a froncé les sourcils.

– Oui, eh bien, monsieur acceptera sans aucun doute de me suivre au poste, où il pourra faire une déposition dans ce sens, tout en expliquant la raison exacte de sa venue place Debiche.

– Je regrette, je n'ai pas le temps, monsieur l'agent, ai-je dit avec toute l'autorité dont j'étais capable. Voyez-vous, le docteur Mandragore m'attend…

J'ai sorti de mon gilet la carte que le vieux M. Climk m'avait donnée.

– Et qu'est-ce qu'un voltigeur casse-cou dans votre genre pourrait bien vouloir à un éminent médecin de la place Debiche ? m'a rétorqué l'agent d'un ton mauvais.

– Ne croyez-vous pas que c'est mon affaire, monsieur l'agent ? a lancé une autre voix.

Nous avons tous deux fait volte-face : un grand homme distingué, assez âgé, descendait l'escalier de marbre du numéro 27. Il avait de longs cheveux blancs, avec la raie au milieu, un visage d'une pâleur presque crayeuse et un pince-nez aux verres teintés.

– On ne saurait être trop prudent, par les temps qui courent, monsieur, a répondu l'agent, tortillant sa moustache noire d'un geste impérieux.

– En effet, monsieur l'agent, a dit l'homme distingué. Mais ce garçon vous a indiqué qu'il avait rendez-vous avec moi.

– Tout cela est bien joli, docteur, a déclaré l'agent, qui devenait tout rouge. Mais il s'est livré à la voltige, je le sais. Regardez la poussière de brique sur ses coudes et ses genoux…

– C'est le cadet de mes soucis. En revanche, je me soucie de la future réaction de votre directeur, a dit le médecin en ôtant son lorgnon de son long nez fin et en posant sur l'agent ses yeux gris perçants. Lorsqu'il saura que l'un de ses hommes a entravé mes obligations médicales… Vous ai-je précisé que je suis un très bon ami du directeur ?

L'agent s'est recroquevillé.

– Bien, a-t-il consenti. Pour cette fois, je fermerai les yeux.

Il m'a fusillé du regard, les sourcils froncés.

– Mais si je vous reprends à caracoler là-haut sur les toits, je vous condamnerai au maximum, mon gaillard. Compris ?

J'ai souri et fait oui de la tête. L'agent de police s'est détourné en marmonnant.

– Venez, a dit le docteur Mandragore.

D'une poigne étonnamment ferme, il m'a saisi le bras et entraîné sur l'escalier de marbre jusqu'à sa porte d'entrée.

– Alors, racontez-moi, quelle extrême urgence vous a convaincu de passer par les toits pour rejoindre mon cabinet de consultation ?

Chapitre 6

Le docteur Mandragore a verrouillé la porte derrière lui et m'a entraîné dans le vestibule en direction du majestueux escalier. C'était un lieu vraiment splendide, avec un dallage de marbre noir et blanc et un lustre en cristal au plafond. Quant à l'escalier, son tapis somptueux et sa balustrade sculptée, dorée, n'auraient pas détonné dans un palais.

Alors que nous montions les marches, j'ai observé les coûteuses plaques en cuivre à chaque palier. *DR JUDE GRACIEUX, SPÉCIALISTE DU NEZ, DE LA GORGE, DES OREILLES ET DE LA RATE ; DR FENG-LI, PHYTOTHÉRAPEUTE ET ACUPUNCTEUR ; DR MAGDI-KHAN ; DR SIBELIUS ; DR J.-B. PETIOT ; DR CLOC-BULLEUX* – chacun avait un domaine de compétence imposant, lié à des maux et à des parties du corps dont je ne connaissais même pas l'existence : *MYOPATHIES CIRCULATOIRES ET PULMONAIRES,*

SPÉCIALISTE DES MALADIES ET DES TROUBLES DE L'APPAREIL CŒLIAQUE ; HÉMATOMES ET ŒDÈMES SOUS-CUTANÉS…

Le docteur Mandragore m'a surpris en train de lire cette plaque et a laissé échapper un petit rire moqueur.

– Impressionné ?

J'ai hoché la tête.

– Oui, le docteur Cloc-Bulleux est en fait un éminent spécialiste des… boutons ! Les jeunes dames l'adorent, a-t-il ajouté en souriant.

Il a repris l'ascension avec une agilité surprenante pour un homme de son âge. J'ai trotté derrière lui.

Le cabinet du docteur Mandragore, ai-je découvert, se trouvait au tout dernier étage de l'immeuble et, malgré ma bonne condition physique, avec le long trajet que je venais d'effectuer sur les toits, je dois avouer que le souffle commençait à me manquer. Le médecin, lui, était aussi pimpant et paisible que le chat d'un poissonnier.

– Nous y voici, a-t-il murmuré.

Il a sorti une clé en laiton de la poche de son gilet et l'a introduite dans la serrure.

J'ai jeté un coup d'œil à la plaque près de la porte. Elle en remplaçait une plus grande et une mince bande de vieux papier peint fleuri l'entourait, vestige d'un état antérieur de décoration – preuve qu'elle avait été tout récemment apposée.

DR *THÉOPHILE MANDRAGORE, MÉDECIN*, annonçait-elle.

Cette simplicité modeste m'a plu. De nouveau, le docteur Mandragore a surpris mon regard.

– Je n'ai nul besoin de titres pompeux, jeune homme, a-t-il dit, un léger sourire flottant sur ses lèvres. Je préfère que mon travail parle de lui-même.

Le médecin a tourné le loquet et poussé la porte. L'odeur de la peinture fraîche m'a frappé au moment où j'entrais.

– Depuis combien de temps donnez-vous des consultations place Debiche ? ai-je demandé.

– Depuis peu, a-t-il répondu, avec une pointe d'accent dans sa voix chaude et grave. J'ai beaucoup voyagé dans l'Est, pratiqué l'art de la guérison dans des villes et des villages, grands ou petits…

Le docteur Mandragore s'est tu, puis a lancé un rire sec.

– Mais ici, mon cher jeune homme, dans cette vaste cité bouillonnante qui est la vôtre, les perspectives d'avenir sont bien supérieures pour un simple médecin tel que moi.

Il m'a fait signe de le suivre.

Le couloir sombre, un peu austère, menait à une pièce plus spacieuse : la salle d'attente, ai-je supposé. Elle contenait six fauteuils rouges assez miteux, placés contre le mur, leurs passepoils et pompons dorés tout usés, et une table basse centrale sur laquelle s'empilaient des périodiques écornés, décolorés. J'ai jeté un coup d'œil aux titres. *L'Intrigant des hautes sphères*, *La Revue hebdomadaire pour dames de qualité*, *Le Beau Linge* – rien que des torchons à scandale et des journaux de mode huppés, mais à en juger par la poussière qui recouvrait leurs pages jaunissantes, il y avait des lustres que personne ne les avait feuilletés. Malgré l'adresse chic, les affaires semblaient stagner pour le bon docteur.

Au fond de la pièce, une autre porte s'ouvrait sur le cabinet de travail du docteur Mandragore.

– Veuillez entrer, a-t-il dit aimablement, et vous pourrez m'expliquer ce qui vous amène, monsieur…

– Destoits. Edgar Destoits.

– Monsieur Edgar Destoits ? a-t-il repris. Eh bien, asseyez-vous, monsieur Destoits, et parlons un peu du mal qui vous fait souffrir.

Je me suis donc installé sur le fauteuil en cuir capitonné face au bureau.

Vous savez, alors que je faisais une commission ou que je portais une ordonnance, j'ai vu divers cabinets de charlatans au cours de ma vie professionnelle : pour être honnête, celui-ci était assez typique. Sur le bureau, à gauche du sous-main, il y avait une grande lampe à huile en cuivre ; deux diplômes encadrés étaient accrochés au mur. À ma droite se dressait une table d'examen rembourrée, surmontée d'une grande affiche qui donnait une description sommaire du corps humain – le squelette d'une part, la musculature d'autre part.

Mais c'est en apercevant le buffet contre le mur opposé que j'ai souri. Haut et imposant, avec ses étagères garnies de pots en verre, de bouteilles et de fioles à bouchon différemment remplis, de formes, de tailles et de couleurs variées, il constituait le meuble essentiel de tous les faux apothicaires et prétendus médecins de la ville.

Pendant ce temps, le docteur Mandragore s'était assis dans son fauteuil en cuir à haut dossier derrière le bureau. Comme il avait monté la mèche de la lampe, une lueur jaune nous enveloppait désormais.

– Voilà qui est mieux, a-t-il dit avec un sourire.

Il s'est penché en avant, les coudes sur le bureau.

– Alors, que puis-je pour vous ?

– Je ne souffre de rien, ai-je déclaré avec froideur, sentant, sous les verres teintés, les yeux gris perçants de mon interlocuteur me dévisager. Mais je m'inquiète à propos de ceci.

J'ai récupéré la lettre au fond de la poche de mon gilet, je l'ai dépliée puis fait glisser sur le bureau. Le docteur Mandragore a ajusté son pince-nez et s'est mis à lire. J'ai vu son front se plisser.

– Comment cette lettre est-elle donc arrivée entre vos mains ? a-t-il fini par demander, d'une voix aiguë et grincheuse, en me regardant par-dessus ses lunettes.

– Un gros malotru d'envoyé tic-tac me l'a donnée devant l'immeuble de monsieur Benjamin Bravesire hier au soir…

– Hier au soir ? a relevé le docteur Mandragore, arquant son sourcil gauche. Et monsieur Bravesire ?

– Le vieux Benjamin s'est volatilisé. Je crois qu'il a été victime d'une féroce attaque. Comme vous êtes son médecin, je me demandais s'il avait cherché du secours auprès de vous.

– Hélas, non, monsieur Destoits, a répondu le docteur Mandragore en secouant la tête. Qui plus est, puisqu'il n'a pas honoré le rendez-vous pour la fin de son traitement, je l'ai rayé de mes listes.

Il s'est caressé le menton d'un air pensif.

– Une féroce attaque, dites-vous ?

– Il y avait des traces de lutte. Du sang. Des marques de dents et de griffes. Un siège renversé… Or je sais qu'une bête sauvage rôdait dans le quartier la nuit dernière, parce que je l'ai rencontrée sur les toits de l'usine Gréville et que je l'ai tuée.

– Quelle chance ! s'est exclamé le docteur Mandragore, retombant contre son dossier.

– Une chance ?

– Qu'une créature aussi féroce soit morte, a dit le médecin.

Ses lèvres minces se sont étirées dans un sourire doucereux, qui a découvert ses longues dents jaunies.

– Précisez-moi, voulez-vous, la manière dont vous avez réussi à la tuer.

– Elle me poursuivait sur les toits, ai-je expliqué. Je me suis écarté, elle a percuté une lucarne et est tombée dans une cuve de colle. À cette heure, ai-je ajouté en haussant les épaules, ses os eux-mêmes doivent être réduits en bouillie.

– Parfait, parfait, s'est félicité le docteur Mandragore, puis il a contenu sa joie et, fronçant les sourcils, s'est enfoncé dans son fauteuil. Naturellement, je suis accablé d'apprendre la disparition de monsieur Bravesire. Dans ma lettre, vous le voyez, je souligne combien il est capital d'achever le traitement. Sans l'ultime piqûre qui permet de rendre définitifs les effets tonifiants de ma potion, ceux-ci s'estompent vite, et le patient se retrouve dans un état de profonde faiblesse…

Il a secoué la tête.

– Si seulement ce maudit coursier avait remis la convocation à temps, ce pauvre monsieur Bravesire n'aurait peut-être pas été victime de votre créature des toits.

– Ce n'est pas *ma* créature, ai-je rectifié. Je l'ai simplement tuée.

– Exact, a convenu le médecin, avec un mince sourire.

Il a plissé le front, l'air songeur.

– Là-haut sur les toits, avez-vous dit. Est-ce votre habitude d'escalader les cheminées, monsieur Destoits ?

Cette fois, c'est moi qui ai souri.

– En effet, ai-je confirmé. Je suis coursier, « envoyé tic-tac », et j'aime emprunter le plus court chemin d'un point à un autre.

À son expression, je voyais que le médecin était intrigué. L'envoyé tic-tac qu'il avait employé se révélait un incapable, et voilà que votre serviteur lui tombait du ciel ! J'attendais qu'il morde à l'hameçon. Il ne lui a pas fallu longtemps.

– Patientez une seconde, monsieur Destoits !

Il a quitté son siège et disparu par une porte derrière son bureau, qu'il a laissée entrebâillée.

J'ai scruté la pièce assombrie où il était entré. D'après ce que j'en distinguais, il s'agissait d'un laboratoire. Quelques instants plus tard, le médecin revenait, une des bouteilles bleues à étiquette argent dans la main.

– Ceci, a-t-il déclaré fièrement, est ma potion. Résultat de longues années de recherche et d'expérimentation.

Il a levé le flacon.

– *Élixir efficace pour améliorer les capacités mentales et physiques*, a-t-il lu sur l'étiquette. Les effets annoncés sont les effets réels.

J'ai hoché la tête.

– Le vieux Benjamin le pensait, lui ai-je dit. Nous avons discuté hier encore, et il me garantissait qu'il ne s'était jamais senti aussi bien. De plus, sa toux avait complètement cessé.

« Ceci, a-t-il déclaré fièrement, est ma potion. »

– Je suis heureux de l'entendre. Mais je déplore qu'il n'ait pas pu achever son traitement. Pauvre monsieur Bravesire. Une remarquable chevelure pour un homme de son âge…

Le regard gris et froid du médecin s'est perdu dans le vague pendant un moment, puis il a repris :

– Vous voyez, monsieur Destoits, à la différence des charlatans ruineux de cet immeuble, qui procurent aux riches des breuvages à prix d'or, je réserve ma potion à ceux qui en ont le plus besoin : les plus pauvres et les plus nécessiteux de cette grande ville ; ceux qui, s'ils disparaissaient de la surface de la Terre, seraient le moins regrettés.

Il s'est réinstallé dans son fauteuil et a poussé un profond soupir, les yeux clos.

– Le ridicule étalage factice de mixtures que vous voyez sur les rayons derrière moi est destiné à mes clients riches… bien que je puisse les compter sur les doigts de la main, avec la concurrence de mes confrères. Les temps sont durs et l'argent manque, monsieur Destoits.

J'ai affiché un intérêt poli et hoché la tête.

Le docteur Mandragore a remonté son pince-nez et braqué sur moi son regard gris acier avant de poursuivre :

– Pour que mon travail aboutisse, il est impératif que mes patients reçoivent en temps voulu ces lettres de rappel. Je crois que vous pourriez vous acquitter à merveille de cette tâche, monsieur Destoits.

– Je le crois aussi, docteur, ai-je répondu avec un large sourire. Je me mettrais volontiers à votre disposition.

– Parfait, parfait, a dit le docteur Mandragore, se calant contre son dossier, la mine réjouie.

Il a sorti un petit calepin noir de la poche de sa veste et un calendrier d'un tiroir.

– Alors, voyons, a-t-il murmuré, confrontant l'un à l'autre, griffonnant des notes avec un petit crayon. La nouvelle série de traitements doit commencer ce lundi… vingt-six jours… plus… ce qui nous porterait au…

Il a levé les yeux.

– J'aurais besoin que vous veniez dans trois semaines mardi, à sept heures du matin.

– J'y serai, monsieur, ai-je répondu. Vous pouvez compter sur moi.

Le médecin a hoché la tête.

– Oui, vous me paraissez digne de confiance, monsieur Destoits.

Il a plongé la main dans une poche intérieure abritant un portefeuille, dont il a tiré un billet de banque bleu et blanc qu'il a déplié devant moi.

– Je pense que cette somme suffira pour engager vos services, monsieur Edgar Destoits, a-t-il affirmé, l'œil pétillant alors qu'il me tendait l'argent.

– Oui, monsieur. En effet, monsieur, ai-je certifié. Merci, monsieur.

– Oh, une chose encore, monsieur Destoits, a-t-il ajouté d'une voix sourde, mais insistante. Je suis certain que vous mesurez l'importance de la discrétion dans cette affaire. Pour n'importe quel médecin, le secret à l'égard des patients est primordial, et il l'est tout particulièrement pour moi. Alors, pas de propos inconsidérés, mon garçon, est-ce compris ?

– Bien sûr, monsieur, ai-je dit avec une pointe d'indignation.

À cet instant précis, la sonnette au-dessus de la porte d'entrée s'est mise à tinter. Peu après, une petite femme élégante est apparue, majestueuse, en robe de satin fluide et courte veste de luxe à garniture westphalienne, ses cheveux dorés noués bien haut et maintenus par plusieurs gros peignes en écaille. Deux demoiselles de compagnie la suivaient – la plus blonde, ai-je remarqué, était très, très jolie…

– Signora Scutari ! s'est exclamé le docteur Mandragore, quittant son fauteuil d'un bond et se précipitant vers elle, basques flottantes et main tendue.

De mauvaise grâce, signora Scutari a tendu sa propre main, que le médecin a prise et portée à ses lèvres pour y déposer un chaste baiser.

– C'est toujours un honneur et un plaisir, ma chère dame, a-t-il assuré.

Moi, je m'interrogeais : faisait-elle partie des riches patients auxquels il fourguait de l'eau sucrée ?

– Laissons les cérémonies, Théo, a répliqué l'intéressée. Je passais dans mon carrosse. Avez-vous quelque chose pour moi ?

Elle avait une voix aiguë et impérieuse. Pourtant, sous les intonations distinguées, j'ai cru déceler une origine plus humble.

– Patience, ma chère dame, a dit le docteur Mandragore. On ne peut hâter le processus si l'on veut des résultats.

Il a lancé un regard furtif dans ma direction, puis murmuré à sa visiteuse :

– Dois-je vous rappeler combien la discrétion est capitale en la matière ?

– Peu importe, Théo ! a rétorqué la femme, agitant sa chevelure dorée. Je vous ai versé un bel acompte et mes propres clients commencent à s'impatienter...

– Ma chère signora Scutari, a protesté le docteur Mandragore, je travaille aussi vite que possible, je vous le garantis.

Comme elle prenait une brusque inspiration, l'air a sifflé entre ses grandes dents blanches. Le docteur Mandragore a haussé les épaules d'un air désolé.

Signora Scutari s'est dressée de toute sa hauteur, a rejeté la tête en arrière et s'est élancée vers la porte.

– Je me moque de votre méthode, a-t-elle dit, mais je veux ce que vous m'avez promis avant la fin de la semaine. Sinon, vous aurez affaire à mon cousin, le maire. Compris ?

Agitant de nouveau sa chevelure, signora Scutari a franchi le seuil, suivie de ses demoiselles d'honneur – mais j'avais réussi à croiser le regard de la jolie jeune blonde. Elle avait souri. Je lui avais souri à mon tour.

Pivotant sur mes talons, j'ai vu le docteur Mandragore qui me dominait, les lèvres contractées, ses yeux gris acier étincelant derrière son pince-nez.

– Vous feriez bien d'y aller, monsieur Destoits, a-t-il suggéré d'une voix grinçante. J'ai du travail.

Chapitre 7

Une foule de questions dans la tête, j'ai quitté le cabinet de consultation poussiéreux du docteur Mandragore. J'en avais assez vu pour deviner qu'il se tramait quelque chose de louche – une sale histoire sordide, aussi trouble que les eaux du caniveau. Et j'étais bien décidé à éclaircir l'affaire. J'avais trois semaines avant la mission pour le médecin, et un emploi du temps chargé...

Mais d'abord, il y avait le vieux Benjamin. Et cette fois, je n'allais pas l'oublier.

J'ai donc fait ce que je m'étais promis : je me suis rendu à l'Hôpital urbain des nécessiteux et à l'Hospice de bienfaisance pour cochers retraités, ainsi que, sur ma lancée, à l'infirmerie Boniface pour les indigents.

Mais en vain.

Où que j'aille, c'était la même réponse. Personne n'avait entendu parler d'un dénommé Benjamin

Bravesire. Comme beaucoup d'autres avant lui, le vieux monsieur avait, semblait-il, disparu sans laisser de trace.

Les événements bizarres de cette nuit-là ne cessaient pourtant de me tracasser. Ce qui restait du loup infernal avait sans doute collé mille étiquettes sur mille bouteilles de bière depuis, mais le souvenir de ses yeux jaunes malveillants ne s'effaçait pas.

Deux semaines plus tard, je frissonnais encore à cette image tandis que je m'asseyais aux pieds de sir Rudy Ronald – de la statue, plutôt, que la ville reconnaissante avait élevée au prétentieux gredin, dans le parc du Centenaire, à la cime d'une grande colonne. C'était l'endroit parfait d'où compter les bouvreuils pour l'éminent zoologiste et professeur Rosier-Desgranges.

Le professeur (que ses amis appelaient RD) était l'un de mes clients les plus excentriques, même si, à vrai dire, la plupart d'entre eux se distinguaient par leur étrangeté. Le premier travail dont il m'avait chargé consistait à examiner les nids de pies et à cataloguer les résultats. RD avait une théorie sur la prédilection de ces oiseaux pour les cuillers en argent, parmi tous les objets brillants. Or, grâce à ma virtuosité en voltige et à mes notes détaillées, j'avais réfuté cette hypothèse. Je pensais que le professeur serait déçu, mais pas du tout…

– Les théories sont faites pour être réfutées, mon cher Edgar, avait-il déclaré, tout sourire, en peignant sa barbe avec ses élégants doigts fins. Sinon, comment pourrions-nous assurer le progrès de la science ?

Ou retrouver le diadème volé de lady Lazuli ? me suis-je dit. Et empocher du même coup la récompense ? Autre histoire fascinante qu'il me faudra raconter un jour…

Bref, dans le cas présent, le professeur avait émis l'hypothèse selon laquelle les bouvreuils de la ville devenaient exceptionnellement gros et agressifs à cause de l'introduction récente du fragolier oriental, aux fruits abondants et sucrés, dans nos parcs et jardins. La population féline, croyait-il, serait bientôt menacée. Après plusieurs mois passés à les observer et à les compter au sommet de la colonne Ronald, je disposais déjà d'une multitude d'informations ; malheureusement pour RD, aucune d'elles ne confirmait sa théorie sur les petits bouvreuils à bec court, avec leur élégante poitrine rouge, leur dos gris et leurs ailes noir et blanc.

J'avais remarqué que leur nourriture préférée n'était pas le fruit des immenses arbres orientaux qui entouraient la colonne, mais les restes qu'ils trouvaient en picorant çà et là le crottin de cheval. Par ailleurs, ils adoraient boire l'eau de pluie qui s'accumulait dans le bord du chapeau de la statue de sir Rudy Ronald. Et je notais avec soin la taille, les habitudes et le comportement de quatre cent soixante-dix-sept bouvreuils différents…

Légère déception, jamais un seul ne montrait l'agressivité posée comme hypothèse par le professeur. En fait, c'était la population humaine du parc du Centenaire qui se révélait la plus intéressante. Les rendez-vous timides entre femmes de chambre et valets de pied ; les belles dames vêtues à la dernière mode – capelines et capes ornées de la garniture westphalienne. Et, un jour, un féroce duel à coups de parapluie entre deux gouvernantes rivales…

Alors que je remettais au professeur mon dernier compte-rendu en date sur les bouvreuils (douze pages au total, bien rangées dans la cinquième poche de mon gilet), le mystère du vieux Benjamin m'est revenu à l'esprit. J'ai plongé la main dans ma deuxième poche et en ai sorti le petit carré de papier plié contenant les poils noirs trouvés sur le siège de cocher.

– Des éléments de nid ? a murmuré RD pendant que je dépliais la feuille et plaçais soigneusement ma récolte sur la plaque de verre qu'il me tendait.

– Eh non, professeur, ai-je répondu. Cela n'a aucun rapport avec vos bouvreuils. Il s'agit d'un autre cas sur lequel je travaille.

RD a eu l'air dépité.

– Je me demandais si vous pourriez identifier le genre de créature susceptible d'avoir de tels poils.

– Dommage… J'espérais plutôt qu'un bouvreuil avait attaqué un chat.

Il a secoué la tête.

« Dommage… J'espérais plutôt qu'un bouvreuil avait attaqué un chat. »

– Mais laissez-les-moi, Edgar, je vais voir ce que je peux en tirer.

L'ayant remercié, je suis passé par la fenêtre de son laboratoire et j'ai grimpé en hâte le long d'une conduite. Je prenais à nouveau du retard. Il me restait une semaine avant le rendez-vous avec le docteur Mandragore et je n'avais pas eu une minute à moi.

Durant les cinq journées qui ont suivi, j'ai été occupé comme jamais, je vous le garantis. Avec des liasses de déclarations, de conventions, de convocations, d'assignations et de bulletins de livraison rangés dans les poches de mon gilet, et une liste d'adresses longue comme le bras, j'ai voltigé d'un bout à l'autre de la ville sans pouvoir souffler. Il y avait les commandes de ma fidèle clientèle, qu'il était exclu de négliger, ainsi que les missions confiées par plusieurs nouveaux clients qui, avec le temps, me rapporteraient peut-être de jolies sommes.

Je me souviens d'une grande collecte de souscriptions que j'organisais pour le *Magazine pratique de la maison* d'Élie Débrouille, très apprécié par les cuisinières et les intendantes de la place Ducastel. Et de l'affaire plus urgente des illustrations envoyées par les éditions Albion, qu'il fallait retirer car le graveur avait représenté l'évêque de Villefosse en train de satisfaire un besoin naturel dans l'angle inférieur droit.

Vous le voyez, j'étais occupé. Très occupé. Malgré tout, j'ai réussi à trouver un petit moment pour ma propre recherche. Hormis voltiger sur les toits par une claire nuit de pleine lune, rien n'est plus délicieux que se plonger quelques heures dans de vieux ouvrages poussiéreux – et la bibliothèque d'Inframont pour les érudits de l'Arcane regorgeait de livres et de poussière.

La majorité des abonnés de la bibliothèque étaient aussi poussiéreux que les livres eux-mêmes : des alchimistes à moitié fous, des magiciens amateurs et de très vieux universitaires qui s'intéressaient à la phrénologie ou aux propriétés des poisons. Moi, j'y allais pour me détendre.

J'étais donc là, au sous-sol de la bibliothèque d'Inframont pour les érudits de l'Arcane. La disparition du vieux Benjamin et le loup de l'enfer aux yeux jaunes continuaient à me tarabuster… si bien que mes pas m'ont porté vers les volumes bien connus, reliés en cuir noir, du *Journal du surnaturel de Guéant*.

Fondé sur des reportages de toute provenance, le *Journal de Guéant* était une revue trimestrielle spécialisée dans les observations étranges et les incidents inexpliqués. J'ai levé le bras et pris un volume. Il rassemblait des numéros anciens du journal.

J'ai feuilleté négligemment les pages jaunies. Aucune des histoires habituelles ne manquait : les cavaliers téméraires, les tombes maudites et les phares mystérieusement abandonnés. Puis, alors que je tournais une autre page, je me suis figé. Quelque chose avait attiré mon attention.

La carrière unique de Klaus Johannes Westphale, chasseur de loups-garous

Notre journal a le regret d'annoncer le décès du docteur Klaus Johannes Westphale, le chasseur de loups-garous de Tannenbourg, éminent occultiste. Légitimement célèbre pour ses années passées à traquer le lycanthrope, ou loup-garou, fléau des forêts de l'Est, le bon docteur a tué plus de trois cents créatures maudites et donné à leur forme humaine une sépulture décente.

Grâce au docteur Westphale, la lycanthropie semble aujourd'hui éradiquée. Malgré une petite pension et l'argent tiré de ses articles et de ses conférences, le docteur a terminé sa vie dans les privations et la pauvreté, avant que la maladie ne l'emporte – un affaiblissement général des muscles qui l'a rendu invalide. Malgré son amertume devant l'attitude de la population et des autorités de Tannenbourg à son égard, la réussite du docteur Westphale demeure inégalée.

Ce journal, pour sa part, salue un personnage intrépide et déplore son trépas.

Sous le court article figurait la gravure d'un bel homme au regard intense et aux cheveux noirs, flottant jusqu'aux épaules.

La bibliothèque allait fermer ; le lendemain, j'avais rendez-vous à sept heures avec le docteur Mandragore. J'ai griffonné les références et, au tout dernier moment, j'ai aperçu la date en haut de la page jaune et poussiéreuse. Ce numéro du *Journal du surnaturel de Guéant* avait quatre-vingt-dix ans. J'ai refermé le livre en silence, je l'ai reposé sur l'étagère et je suis parti.

Le lendemain, je me suis levé à l'aube. C'était l'une de ces matinées agitées où le ciel, tantôt couvert, tantôt ensoleillé, donnait l'impression d'hésiter. Heureusement, mon épaule allait beaucoup mieux. J'ai changé une nouvelle fois le pansement, par précaution, mais la brûlure était presque guérie.

À six heures trente précises, je me suis mis en route, et vingt-trois minutes plus tard, j'arrivais au 27 place Debiche.

Comme j'avais voltigé jusque-là, j'ai envisagé un instant d'entrer par le toit, puis je me suis ravisé. Le docteur Mandragore estimerait peut-être qu'il s'agissait d'une intrusion. J'ai donc pénétré dans l'immeuble d'une façon plus conventionnelle, après m'être assuré, cette fois, que nul agent de police intraitable ne me guettait au pied du tuyau de descente.

– Ah, monsieur Destoits ! m'a lancé le docteur Mandragore, un large sourire s'épanouissant sur son visage alors qu'il me recevait dans son cabinet de consultation. Juste à l'heure. Parfait ! J'ai rédigé les lettres, elles sont prêtes et attendent que vous les portiez.

Il a pris une vieille trousse de médecin abîmée posée sur son bureau et en a sorti une demi-douzaine d'enveloppes cachetées, noms et adresses inscrits en caractères épais, chargés d'arabesques. Il me les a tendues.

– Revenez lorsque vous aurez terminé, m'a-t-il ordonné.

– Très bien, docteur, ai-je répondu en m'en allant.

Comme je redescendais le vaste escalier majestueux, un détail m'a frappé rétrospectivement. Sur la vieille trousse de médecin abîmée figuraient des initiales usées et décolorées, mais toujours lisibles.

Trois lettres d'or. *N. J. W.*

Chapitre 8

Ainsi a commencé l'une des journées les plus fatidiques de ma carrière professionnelle ; une journée que je considère encore aujourd'hui avec honte et regret. J'étais déterminé à élucider le mystère de la disparition du vieux Benjamin, mais je ne devinais rien des terribles conséquences qu'il y aurait à exécuter les ordres du docteur Mandragore.

Si le cabinet de consultation du médecin, place Debiche, se trouvait dans l'un des très beaux quartiers de la ville, un rapide coup d'œil aux adresses inscrites sur les enveloppes qu'il m'avait données suffisait à confirmer que leur distribution me mènerait dans des rues parmi les plus sordides. L'aide que le bon docteur prétendait apporter aux habitants pauvres et nécessiteux semblait, à première vue, bien réelle.

Juste avant l'endroit où la place Debiche rencontrait l'imposante avenue Ducale, j'ai tourné à droite dans une ruelle pavée, où je savais qu'un tuyau doté d'excellentes prises me permettrait de rejoindre les toits en un clin d'œil. À mi-hauteur, j'ai dérangé un gros chat noir, qui se chauffait au soleil sur un rebord de fenêtre. Le matou m'a feulé au visage, les babines retroussées, les poils dressés, furieux que j'aie perturbé sa tranquillité.

Je comprenais si bien ce qu'il éprouvait ! Chaque fois que je voltigeais, il me plaisait d'imaginer que j'étais seul là-haut, et que le monde des sommets m'appartenait, n'appartenait qu'à moi. Ayant atteint la gouttière supérieure et grimpé sur le toit du grand immeuble blanc que je venais d'escalader, j'ai fait une pause pour observer les environs. Le spectacle était magnifique, exaltant, au milieu des pignons et des flèches. Il régnait une atmosphère douce, presque embaumée, et des nuages glissaient dans le ciel au-dessus de ma tête, dodus et cotonneux comme des jars empaillés sur un marché aux oies.

– Une journée idéale pour la voltige, ai-je dit à voix basse tandis que, la main en visière, j'élaborais mon itinéraire.

Au loin, j'ai aperçu ma destination. Un voile crasseux, chargé de suie, recouvrait toute la zone ; la forêt de grandes cheminées en brique et en métal crachait sans discontinuer des fumées supplémentaires.

Une ville pour les riches, une autre pour les pauvres, ai-je pensé.

J'ai tapoté les enveloppes dans ma poche intérieure et je suis parti d'un bon pas sur les toitures. Bientôt, je suis arrivé à proximité de mon premier arrêt. Même les yeux fermés, je l'aurais reconnu. L'air avait l'odeur forte et âcre de la houille en fusion, et un sourd murmure de misère humaine m'emplissait les oreilles.

J'approchais du Nid de guêpes.

Ce quartier disparate et défraîchi, l'un des plus vieux de la ville, menaçait ruine. Les bâtiments fins comme du papier à cigarette y étaient si serrés que très peu de lumière pénétrait le réseau de ruelles nauséabondes en contrebas. Des logements couverts de bardeaux voisinaient avec des immeubles de brique croulants, des passages souterrains et des raccourcis surélevés reliaient les uns aux autres et formaient un immense labyrinthe en trois dimensions à travers lequel les habitants s'affairaient et se précipitaient.

Or les habitants étaient nombreux. Des dizaines de milliers, sans doute – même si aucun recensement officiel n'avait jamais pu en faire le compte exact. Dans certains logements vétustes, des familles entières (grands-parents inclus) partageaient une seule et unique pièce. Des immeubles s'écroulaient sous le poids de la population qui les emplissait ; les moindres rebords, recoins et alcôves étaient occupés. Dans le Nid de guêpes, même le pire trou dans le coin de la cave la plus miteuse était meublé d'un tabouret, d'un seau, d'une paillasse, et appelé « logis ».

En temps normal, je n'avais aucune raison particulière de fréquenter le Nid de guêpes. Sombre, bruyant et violent, il fourmillait de voleurs et d'assassins qui, face à la provocation, se révélaient aussi coléreux que les guêpes elles-mêmes – mais leurs dards étaient bien plus meurtriers. Pourtant, c'est vers cet enfer sale et grouillant que je me dirigeais alors, prenant soin d'éviter les plus dangereux des rebords effrités et des conduites rouillées qui menaçaient de me rester dans les doigts.

Je n'oubliais pas d'ouvrir l'œil et de me tenir prêt à dégainer mon épée en un éclair tandis que je laissais derrière moi le soleil matinal et m'enfonçais dans un demi-jour opaque, chargé de suie. Si la pénombre régnait à l'extérieur, qui sait combien ce devait être sombre à l'intérieur des bâtiments exigus tout autour de moi : la plupart des fenêtres étaient cassées – soit condamnées, soit garnies de chiffons – et une telle épaisseur de crasse recouvrait les vitres demeurées miraculeusement intactes qu'on ne voyait rien à travers.

Néanmoins, ce qui frappait le plus dans le Nid de guêpes, c'était la sensation d'être observé. Des hommes à la mine maussade, portant des chapeaux tuyau de poêle ou des panamas cabossés, des gamins affamés en haillons, postés dans les embrasures et sur les balcons, faisaient le guet, plissant les yeux avec méfiance. J'ai serré ma canne-épée encore plus fort pour quitter un rebord graisseux et m'engager dans un étroit passage.

Deux rues plus loin se trouvait le 4 petite rue des Graines, mon premier arrêt. Selon ma liste, une certaine Emma Bonpuits y résidait. Dès que j'ai eu tourné à l'angle, j'ai su que je ne m'étais pas trompé. À une extrémité de la rangée d'habitations s'ouvrait une arrière-cour, où on engraissait de la volaille – et cette odeur curieusement étouffante de plumes humides m'emplissait à présent les narines. À mesure que je m'approchais, le gloussement comme étranglé des oiseaux s'amplifiait.

J'étais bien dans la petite rue des Graines. J'ai compté les maisons et frappé à la quatrième porte. Elle est restée close, mais j'entendais du bruit à l'intérieur, peut-être des rats qui couraient sous les planchers. J'ai frappé de nouveau, plus fort. Cette fois, la porte s'est ouverte brusquement et je me suis trouvé face à un colosse en maillot de corps taché, un bandeau sur l'œil. Une fillette maigre, qui se cramponnait à sa jambe gauche, a levé la tête vers moi.

– C'est pour quoi ? a grogné l'homme, sur ses gardes.

– J'ai une lettre pour Emma Bonpuits, lui ai-je répondu.

– Je la prends, a dit l'homme, tendant aussitôt une main crasseuse qui semblait étrangler des oies à longueur de journée.

– Désolé, chef, ai-je refusé avec un sourire. Il faut que je la remette à madame Bonpuits en personne.

– Bien prétentieux pour un envoyé tic-tac, a ricané le gros malotru avant que son œil valide ne remarque ma canne-épée.

Je lui ai permis de caresser la poignée de cuivre et le fragment de lame étincelante que je venais d'exposer par un petit geste désinvolte. Je l'ai regardé en souriant et j'ai attendu. Le malotru a cligné des paupières, puis il s'est écarté.

– Tout en haut, a-t-il grommelé. Frappez fort. La vieille mère Bonpuits est dure d'oreille.

Je l'ai remercié et suis entré.

Tandis que je montais l'escalier vermoulu, je sentais les marches osciller sous mon poids. L'ensemble donnait l'impression de pouvoir s'effondrer d'une minute à l'autre comme un château de cartes. L'immeuble empestait le chou bouilli et le graillon, relents qui paraissaient s'accentuer d'étage en étage. Je m'efforçais de ne pas y prêter attention – pas plus qu'aux yeux qui me dévisageaient derrière la rampe, par les vantaux entrebâillés et depuis les recoins sombres de chaque palier.

J'ai frappé à la porte tout en haut de l'immeuble. Elle s'est ouverte immédiatement, et une odeur aigre s'est répandue, qui m'a pris à la gorge.

– Oui ?

J'avais devant moi une petite femme pâle au visage triangulaire. Il était impossible de préciser son âge.

Ses cheveux, épais et dorés malgré leur saleté, auraient pu appartenir à une personne jeune. Mais sa peau était ravagée – réseau parcheminé de rides et de cicatrices.

– Emma Bonpuits ? ai-je demandé d'une voix de stentor.

Elle a confirmé.

– Oui, oui, pas besoin de crier. Je ne suis pas sourde – du moins, je ne le suis plus…

J'ai plongé la main dans une poche intérieure de mon gilet et je lui ai tendu la lettre.

– De la part du docteur Mandragore.

Elle a hoché la tête avec un sourire ravi. D'un ongle noir, elle a ouvert le pli et l'a lu en remuant les lèvres. J'ai jeté un coup d'œil derrière elle et aperçu la cause de l'odeur envahissante.

Les poutres de la mansarde étaient peuplées de pigeons qui nichaient là ; j'en voyais des centaines aller et venir par des trous dans le toit. Une couche de crottes blanchissait le sol et les rares meubles, d'autres formaient des tas ou remplissaient des sacs dans un coin. La vieille mère Bonpuits était à l'évidence une « racleuse de rebords » : pour gagner sa vie, elle ensachait des fientes de pigeon et les vendait comme engrais.

– Rayez mon nom, jeune homme. J'y serai, a-t-elle dit, interrompant mes pensées et me fermant la porte à la figure.

Une de moins, ai-je conclu en cochant son nom.

J'ai relu le nom et l'adresse suivants. *Édouard Bosc. Sous-sol, 12 ruelle du Baratineur.* J'ai rangé la liste dans ma poche intérieure et descendu l'escalier.

Il s'est révélé qu'Édouard Bosc était un marchand des quatre saisons malchanceux. Des saisons, le vieil Édouard avait dû en connaître, puisque je lui donnais soixante-dix ans bien sonnés. Il m'a lancé un large sourire édenté lorsque je lui ai remis la convocation du docteur Mandragore et a promis de se présenter place Debiche le soir même, avant le coucher du soleil.

J'ai quitté la ruelle du Baratineur et tourné à droite. Ma troisième étape était la rue des Claques, derrière le Nid de guêpes – au-dessus du *Tour de cochon*. Une demoiselle Lisbeth Oriam, d'après ma liste.

J'ai escaladé une conduite jusqu'à la courbe des toits de l'îlot du Croissant et avancé vers les éclairages du quartier des théâtres. Je suis bientôt arrivé près des cheminées fumantes de la rue des Claques, avec ses salles de spectacles, ses tavernes et ses maisons de jeu bondées. *L'Ambassadeur*, *Chez Henri Distille* et *Pif Paf Pouf* se trouvaient tous rue des Claques, ainsi qu'une douzaine d'autres établissements du même acabit.

Ils retentissaient de jurons et d'imprécations, de rires rauques et de chansons paillardes, du tapage et du tintamarre d'innombrables pugilats et rixes de bar. La rue des Claques, même sous le soleil, n'était pas pour les peureux.

J'ai glissé le long d'un tuyau de cuivre, sauté légèrement du tonneau d'eau placé dessous et touché le sol dans une ruelle un peu en contre-haut du *Tour de cochon* – un nom parfait pour un endroit d'où il ne sortirait jamais rien de bon. Avec ses fenêtres cassées, son enseigne rouillée, cette auberge avait eu plus que sa part d'ennuis, c'était manifeste, et comme j'entendais les voix furieuses et les chocs étouffés à l'intérieur, je me suis préparé à voir les coups s'abattre et les tabourets voler.

Saisissant la poignée d'une main et serrant ma canne-épée dans l'autre, je suis entré d'un pas énergique.

Je ne sais pas vraiment à quoi je m'attendais. Peut-être que le silence s'installerait soudain et que tous les clients se tourneraient pour me dévisager. Peut-être que quelqu'un quitterait le comptoir en titubant et m'écraserait une bouteille sur la tête dès que je franchirais le seuil. Heureusement, rien de tel n'est arrivé ; en fait, je crois que personne ne m'a remarqué, même si la pénombre qui régnait là m'empêche de l'affirmer avec certitude.

J'ai patienté une minute, le temps que mes yeux s'habituent à la lumière faible, puis je me suis approché du comptoir, où une femme basanée, aux avant-bras tatoués aussi gros que des jambons, était occupée à essuyer des chopes avec un torchon douteux. Il y avait de la sciure par terre et de la fumée flottait. Je me suis assis sur un tabouret haut et accoudé au vieux comptoir en chêne.

– J'ai une lettre pour Lisbeth Oriam, ai-je dit. Je crois savoir qu'elle loge au-dessus de cette taverne.

– Lisbeth Oriam ? a répété la patronne, puis elle a secoué la tête, sa charlotte crasseuse menaçant de tomber dans le bac d'eau sale. Personne ici ne s'appelle comme ça.

J'ai froncé les sourcils.

– En êtes-vous sûre ?

La femme m'a foudroyé du regard.

– Me traitez-vous de menteuse ?

Alors, le silence s'est fait dans la taverne et tous les clients se sont tournés pour me dévisager. Puis j'ai entendu un raclement de chaises : trois ou quatre robustes gaillards se levaient. L'un d'eux, j'en suis certain, serrait le goulot d'une bouteille et la tapotait au creux de sa main. Voilà qui annonçait des ennuis. Dans les maisons mal famées telles que *Le Tour de cochon*, il n'en fallait pas beaucoup pour déclencher une bagarre.

Avec un sourire serein, j'ai posé une grosse pièce sur le comptoir.

– Traiter de menteuse une légende de carnaval comme vous ? Jamais de la vie ! ai-je déclaré. Et ce serait un honneur pour moi d'offrir un verre à une telle œuvre d'art.

Enchantée, la patronne m'a souri de toutes ses dents noircies et a indiqué aux voyous de la taverne de se rasseoir.

– Vous avez donc entendu parler de moi ? a-t-elle demandé, faussement modeste.

– Henriette, la reine amazone ? Bien sûr !

J'avais remarqué les lettres gothiques qui formaient le nom sur son avant-bras. Il faisait visiblement partie d'un plus grand tatouage qui, à en juger par son motif élaboré, montait en direction de son épaule et s'épanouissait sur le reste de son corps. Il m'apprenait tout ce que j'avais besoin de savoir. La patronne avait été une « dame peinte » et fait des tournées de carnaval. Elle avait sans doute fini par rassembler assez d'argent pour acheter cette taverne miteuse – un lieu où les compliments devaient être aussi rares que la bière non diluée.

J'ai donc passé la brosse à reluire, et elle a adoré. Je lui ai dit que la sirène tatouée sur son avant-bras était exquise – même si, je dois l'avouer, un rasage n'aurait pas été de trop. Deux verres plus tard, Henriette était ma meilleure amie au monde.

– Vraiment, quel plaisir de vous connaître, monsieur Destoits, a-t-elle conclu avec un petit rire de jeune fille. Si jamais j'apprends quelque chose sur cette dénommée Lisbeth Oriam, je vous le dirai.

C'était l'heure du déjeuner et j'avais faim, j'ai donc commandé des saucisses et de la purée, emporté mon assiette jusqu'à une table près de la sortie (au cas où il faudrait que je décampe) et commencé à manger. Les saucisses étaient meilleures qu'elles le paraissaient et la purée avait moins de grumeaux que je le craignais, vu le genre de gargote où je me trouvais. J'essuyais les dernières gouttes de sauce avec le reste de mon pain lorsque j'ai senti quelqu'un me tirer par la manche.

Je n'avais remarqué personne à proximité, je me suis donc retourné avec brusquerie, prêt à dégainer si on m'importunait... mais j'ai découvert une petite femme aux cheveux noirs, qui avait des lèvres fines, un gros nez, des yeux minuscules et la peau irritée, cloquée, pelée, couleur fraise.

Elle a dû voir la lueur horrifiée dans mon regard, car elle a reculé en se cachant le visage. Là-bas au comptoir, la patronne a lancé un rire gloussant.

– Ne prenez pas peur de Lisette l'Échaudée, a-t-elle dit. Elle ne vous fera aucun mal. Elle veut juste débarrasser votre table si vous avez fini. Voilà deux ou trois ans, elle a eu la figure brûlée dans l'explosion d'un fourneau, la pauvre. Elle ne s'est pas bien remise.

J'ai pivoté vers la femme.

– Je suis désolé, ai-je dit.

Elle a haussé les épaules et pris mon assiette.

– Je vous ai entendu, a-t-elle soufflé. Tout à l'heure. Vous me cherchiez.

Sa voix s'est réduite à un murmure presque inaudible :

– Lisbeth Oriam.

Mais bien sûr ! Lisbeth. Lisette…

Typique, ai-je pensé, que dans cette auberge sombre, les employés eux-mêmes soient connus par un simple surnom au lieu du prénom reçu à la naissance. C'était vraiment l'endroit où rester anonyme. Je m'apprêtais à tirer l'enveloppe de ma poche intérieure, mais elle a retenu mon bras.

– Pas ici, a-t-elle chuchoté. Je vous retrouverai dehors.

J'ai fait oui de la tête.

Quelques minutes plus tard, j'ai salué la patronne et quitté l'auberge. Deux chiens sont passés en courant et j'ai failli tomber : un petit, blanc et noir, en pourchassait un gros à poils marron, qui avait un rat mort entre les dents. Des enfants jouaient à un deux trois soleil contre le mur d'en face.

– Vous avez quelque chose pour moi.

J'ai fait volte-face : Lisette l'Échaudée était réapparue. Elle avait le don de s'approcher en catimini.

– Ceci, ai-je répondu en sortant le pli de la poche de mon gilet.

– Une lettre, a-t-elle dit, retournant l'enveloppe dans sa main.

– Du docteur Mandragore, ai-je précisé.

– Ah, oui, la consultation finale ! J'y serai.

Ses larges dents jaunes ont étincelé alors qu'elle souriait.

– Le docteur a été si gentil avec moi...

Sur ces mots, elle s'est détournée puis éloignée, toujours aussi discrète. Je suis parti en sens inverse, en direction de la rivière – où habitait la quatrième personne mentionnée sur ma liste. *Marc-Rousselin Palet*.

Son adresse était la plus étrange de toutes. *La Julienne, quai 12, Rive droite*. Bizarrerie suprême, *La Julienne* était écrit à l'envers.

Mais ce détail-là me préoccupait peu. Ce qui, en revanche, me donnait à réfléchir, c'était le quartier où je devais me rendre : la Rive droite, tristement célèbre pour sa dangerosité ; le Nid de guêpes, en comparaison, ressemblait au boudoir d'une fleuriste. Je connais le moindre recoin de la ville et, je vous le garantis, cette portion-là de la rivière était le dernier endroit où vous auriez eu envie d'aller, même par un bel après-midi ensoleillé – sauf si, comme moi, vous n'aviez pas pu faire autrement.

Lorsque j'ai atteint la rivière, j'ai constaté que c'était marée basse : l'eau s'était retirée pour découvrir les berges boueuses. Des mouettes hirsutes tournoyaient dans le ciel, miaulant et criant. Je me suis avancé sur le chemin de halage, comptant les quais tandis que je longeais les entrepôts délabrés avec leurs charpentiers faméliques.

À ma gauche, sur la boue récemment exposée, des foules de garçons et de filles maigres et nerveux, pieds nus, en haillons, cherchaient tout ce qu'ils pouvaient récupérer dans le lit de la rivière. On les appelait les canardeaux.

J'ai frissonné malgré moi.

Le terme utilisé pour les décrire peut paraître innocent, mais j'avais déjà eu affaire à eux. Des sauvageons – orphelins ou abandonnés par leurs parents – qui s'unissaient en bandes. Ils parcouraient les mornes étendues boueuses, défendaient jalousement leur petit territoire et inspectaient les épaves, dont ils essayaient de tirer de quoi subsister. Sans doute avaient-ils une allure d'enfant, mais malheur à quiconque les sous-estimait une seule seconde. Il était déjà arrivé qu'une tribu entière se jette sur de malheureux dockers ou des marins ivres, leur fasse les poches et les laisse meurtris, ensanglantés – voire pire...

Ils avaient même leur propre langage – un argot guttural, dont j'avais appris des bribes au fil des années. Par obligation. Je n'en restais pas moins sur mes gardes. La Rive droite était un endroit où échouaient les plus misérables des misérables, condamnés à fouiller dans la vase par une ville sans pitié. Les canardeaux étaient aussi féroces et imprévisibles qu'ingénieux et rusés. Ils n'avaient pas le choix : leur survie en dépendait. Je ne quittais pas des yeux deux silhouettes courbées qui pataugeaient dans la boue. Elles étaient assez loin sur ma gauche, mais j'ai dégainé mon épée, au cas où.

– Hé, toi là-bas !

La voix venait du côté opposé : me retournant, j'ai vu deux personnages sortir d'une voilerie en ruine. Ils étaient plus âgés que les enfants fouilleurs, mais à leur teint sombre et hâlé, aux tatouages complexes sur leurs mentons, j'ai su au premier coup d'œil qu'il s'agissait d'anciens canardeaux. Leurs cirés longs jusqu'aux chevilles et leurs suroîts cabossés, ajoutés à leurs foulards noués et à leurs gilets brodés, chic bien que défraîchis, les singularisaient : c'étaient des teignes de la rivière, ces jeunes voyous que devenaient les plus cruels des canardeaux. Touche-à-tout violents, ils pratiquaient toutes sortes de trafics, du racolage aux enlèvements, à la contrebande et aux extorsions.

Comme ils s'approchaient, j'ai vu qu'ils avaient chacun une canne-épée – l'une avec un pommeau en étain à tête de chien, l'autre avec une poignée en bois qui rappelait un bec d'oiseau.

– Tiens, tiens, tiens, a dit le plus trapu des deux, s'arrêtant sur le chemin juste devant moi. Regarde qui s'amène, Rouquin, mon vieux marchand de coques.

Son camarade aux cheveux roux a lancé de petits gloussements idiots.

Me retournant, j'ai vu deux personnages sortir d'une voilerie en ruine.

Moi, j'avais d'autres chats à fouetter.

– C'est-y pas là un envoyé tic-tac, tout droit sorti du brouillard ?

Le gaillard trapu a grimacé.

– Des messages et des papelards plein les poches, et puis des tas de bijoux.

Rouquin a interrompu ses gloussements le temps d'une question :

– Tu crois qu'il a un truc pour nous, Dirk ?

– On va lui demander.

Pendant que Dirk prononçait ces mots d'une voix sourde et menaçante, tous deux ont tiré leurs épées, lumineuses sous le soleil bas de l'après-midi.

– Tu veux bien retourner tes poches, tic-tocard ?

Je les ai observés avec froideur. Je n'avais pas envie de me battre, mais il semblait qu'ils allaient m'y forcer.

– Pas besoin de castagne, mes chers mentons décorés, ai-je dit. Si vous rengainez vos tranchoirs, je rengaine le mien et je m'en vais.

Dirk a lancé un rire sec.

– T'entends ça, Rouquin ? Y veut pas de castagne.

Son visage est devenu dur.

– C'est ce qu'on va voir, dégonflé.

Soudain, comme un seul homme, ils ont allongé une botte, la pointe de leurs épées dirigée vers ma poitrine. Avec fracas j'ai détourné leurs deux lames, fait un brusque écart et, profitant de leur manque d'équilibre provisoire, je suis passé à l'offensive.

Rouquin ne m'a pas vu venir – du moins, il était trop tard. Il a crié de douleur lorsque la pointe de mon épée a coupé la manche de son ciré et fait jaillir le sang. Il s'est écroulé en hurlant. Dirk serait plus difficile à neutraliser. Non seulement sa rude existence l'avait aguerri et cuirassé, mais durant son parcours, il avait appris à manier l'épée. Et comme il se devait, une seconde plus tard, il allongeait une nouvelle botte.

C'était un coup féroce mais imprudent, que j'ai pu détourner sans grande difficulté, mais le choc s'est répercuté dans tout mon bras, jusqu'à la brûlure encore mal cicatrisée. Me voyant grimacer de douleur, Dirk a poussé un cri de triomphe et lancé un assaut brutal, faisant pleuvoir les coups. J'ai supposé que c'était sa manière habituelle de gagner les combats à l'épée : il soumettait l'adversaire par des attaques redoublées.

Mais avec moi, sa technique allait échouer.

Trois, quatre, cinq fois, j'ai paré ses moulinets et répliqué. Je ne voulais pas le blesser ; pourtant, il fallait que je donne une leçon à cette brute de la Rive droite. Derrière moi, j'entendais Rouquin glapir. À ses cris suraigus, on aurait cru que je lui avais tranché le bras, au lieu de lui laisser une simple écorchure. Devant moi, Dirk était à l'endroit exact où je le souhaitais.

– Aaah ! s'est-il écrié peu après, au moment où son pied gauche reculait à la limite du chemin de halage.

Ses bras ont battu l'air en tous sens alors qu'il essayait de retrouver l'équilibre. J'ai avancé d'un pas et enfoncé la pointe de mon épée dans son gilet coloré. Avec un rugissement furieux, il est tombé de la jetée. *Plouf !* J'ai rengainé mon arme et, les yeux braqués sur lui qui gisait dans la boue les bras en croix, j'ai incliné mon chapeau.

– Bonne journée, mon vieux marchand de coques, l'ai-je salué.

Alors que je m'éloignais, j'ai vu Dirk ramper désespérément dans la boue jusqu'à son épée. Rouquin, se tenant l'épaule et continuant de hurler, a sauté pour lui venir en aide.

– Je t'aurai, tic-tocard ! a crié Dirk dans ma direction, tout en agitant un poing boueux. Dirk Escarboucle n'oublie jamais, promis, juré, craché !

Résolu à éviter cette partie du chemin de halage à mon retour, j'ai continué ma route le long de la rivière, cherchant l'adresse indiquée sur ma liste. Je l'ai trouvée quelques minutes plus tard. Et j'ai compris sur-le-champ pourquoi le nom avait été écrit à l'envers. Marc-Rousselin Palet habitait dans un bateau retourné.

Courbe et boursouflée, la coque était si infestée de vers que la lumière la transperçait. Une petite fenêtre avait été aménagée dans la proue à bâbord, mais elle n'avait pas reçu de vitre. Un simple auvent cloué, fait d'un parapluie cassé, servait de protection sommaire contre les intempéries. La porte – basse et tellement voilée qu'elle s'écartait du cadre – était à la poupe.

J'ai frappé.

Il y a eu un cliquetis de porcelaine, un raclement du bois contre le bois… et la porte s'est ouverte. Un homme se tenait là, le visage rougeaud, les yeux bleus et des cheveux d'une rousseur telle que je n'en avais jamais vu.

– Voici pour vous, ai-je dit, scrutant l'intérieur du bateau tandis que je présentais la lettre.

L'homme a parcouru l'enveloppe des yeux.

– Marc-Rousselin Palet. Oui, c'est moi. Et vous êtes ?…

– Edgar Destoits, lui ai-je répondu, envoyé tic-tac. Je viens de la part du docteur Mandragore.

– Oh, le docteur Mandragore, béni soit-il ! s'est exclamé Marc-Rousselin. Cet homme fait des miracles, vraiment. Il m'a guéri de tous mes maux… Le mois dernier, j'étais encore cloué au lit à longueur de journée, l'arthrite m'empêchait presque de marcher. Et maintenant, voyez ça…

Il a levé les bras bien haut et dansé une gigue très acceptable que j'ai regardée en souriant. Bien sûr, ce n'était guère étonnant qu'il souffre des articulations, lui qui vivait dans des conditions pareilles. Entre la paille et les journaux pourrissants sur la boue humide, le manque de chauffage et sans doute rien à manger hormis le menu fretin de la rivière, que le pauvre homme n'ait pas succombé tenait même du prodige.

– Merci, Edgar Destoits, a-t-il dit, prêt à refermer sa porte. Et, s'il vous plaît, assurez le bon docteur que je viendrai ce soir pour la dernière piqûre. Il me tarde d'être complètement guéri ! a-t-il conclu avec un sourire heureux.

Le docteur Mandragore était très apprécié par ses patients, ai-je pensé alors que j'atteignais mon arrêt suivant, un meublé délabré près des tanneries. Norbert Osselet – un homme mince aux yeux noirs et tourmentés – m'a ouvert et souri joyeusement lorsque je lui ai tendu la lettre. Le vieux chauffeur du hangar de fumaison avait souffert pendant des années d'une santé fragile, comme tant d'ouvriers du métier. Lui aussi a vanté la potion du docteur Mandragore et ses pouvoirs miraculeux.

Sans famille, sans travail ni perspective d'avenir, il avait rencontré le médecin devant la boutique d'un perruquier. Le pauvre Osselet en avait été réduit à vendre ses cheveux pour payer le loyer de son meublé miteux. Comme le vieux Benjamin, c'était par sa toux que Norbert Osselet avait alerté le docteur Mandragore, lequel avait aussitôt proposé une bouteille de potion.

L'altruisme du bon docteur était-il sans bornes ? me suis-je interrogé. Une ultime piqûre, et l'incroyable guérison de ses patients s'achèverait. Ils s'en iraient comblés, avec leurs seuls remerciements sincères en récompense de ses services. Voilà qui semblait trop beau pour être vrai.

Moi, en tout cas, je n'y croyais pas.

J'ai repris lentement le chemin de la ville. La journée avait été longue. Un dernier arrêt et ma tournée serait finie. Au bout d'une rangée d'entrepôts, j'ai sauté sur un petit mur et escaladé le côté du bâtiment jusqu'au toit. J'ai consulté ma montre. Il restait une heure avant le coucher du soleil. J'avais encore un peu de temps. J'ai sorti ma liste... *Monsieur A. Klymkowski, 21 impasse Bridoine*, ai-je lu.

C'était un court alignement de maisons à cent mètres de la mansarde où habitait Emma Bonpuits, petite rue des Graines. Si seulement je m'en étais aperçu, j'aurais pu porter cette lettre juste après la sienne. Une erreur digne d'un débutant, me suis-je reproché alors que je remontais en hâte les rues empruntées à l'aller, longeant les mêmes lieux.

Comme je pénétrais à nouveau dans le Nid de guêpes, une impression curieuse m'a envahi. Toutes ces rues et ces maisons, qui m'avaient d'abord semblé terribles, ne paraissaient soudain plus si épouvantables, en définitive – par comparaison aux étendues boueuses près de la rivière et aux tavernes paillardes de la rue des Claques.

J'ai revu le 4 petite rue des Graines, tourné deux fois de suite sur la droite et, arrivé dans l'impasse Bridoine, levé la tête devant le 21. La maison était haute et étroite et visiblement, au contraire de ses voisines, elle appartenait tout entière à une même famille. J'ai sonné et attendu.

De l'intérieur est venu un bruit de course légère dans l'escalier, puis l'écho de pas sonores qui traversaient le vestibule jusqu'à l'entrée. Un verrou a coulissé. Un loquet a cliqueté. La porte s'est ouverte et un visage s'est penché.

– Vous ! me suis-je écrié, frappé de stupeur.

Chapitre 9

Je dois l'avouer, je ne m'attendais pas du tout à voir Aloïs Climk dans le Nid de guêpes.

– Edgar ! s'est exclamé le vieux monsieur, manifestement aussi surpris que moi. Qu'est-ce qui vous amène dans le quartier ?

– Ceci, ai-je répondu en sortant la dernière enveloppe de mon gilet et en la lui tendant.

– Oh, a-t-il dit alors qu'un sourire un peu confus s'esquissait sur ses lèvres. Klymkowski. Oui, c'est moi. J'ai raccourci mon nom pour le bureau. La convocation au rendez-vous final chez le docteur Mandragore, je suppose ?

– En effet.

– Je suis honoré que le meilleur envoyé tic-tac de la ville me l'apporte, a-t-il gloussé. Cochez mon nom sur votre liste. Je serai là-bas sous peu, dès que j'aurai dîné.

– Je n'avais aucune idée que vous habitiez dans le Nid de guêpes, monsieur Climk, ai-je dit.

Le vieil homme a souri.

– En dépit de ma réussite professionnelle, je n'oublie pas mes racines, Edgar. Je suis né dans cette maison, a-t-il expliqué. Fils unique. Mon père était un honnête tailleur, qui s'est tué au travail pour me payer de bonnes études. Après sa mort prématurée, je suis resté auprès de ma chère mère, et lorsqu'elle est morte à son tour, je n'ai pas eu le cœur à partir, même si j'étais devenu entre-temps un avocat prospère. Peut-être que j'aurais déménagé si je m'étais marié…

Son visage a pris une expression nostalgique, rêveuse. Puis, comme s'il se souvenait de ma présence, il a posé sur moi ses yeux humides, qu'une lueur éclairait.

– Mais le sort en a décidé autrement. J'ai toujours été maladif, a-t-il poursuivi. J'attrapais le moindre microbe qui passait. Un beau jour, j'ai fait la connaissance du docteur Mandragore, ici même dans le Nid de guêpes ; j'ai essayé sa potion. Et… vous savez quels miracles elle accomplit !

J'ai hoché la tête. Le vieil avocat n'avait jamais eu la mine aussi florissante, malgré les vêtements usés et rapiécés qui semblaient extravagants dans son bureau, mais étaient en complète harmonie avec son quartier. Pas étonnant, ai-je pensé, que le docteur

Mandragore l'ait cru pauvre et lui ait proposé sa précieuse potion.

– Est-il arrivé, ai-je hasardé d'un ton aussi dégagé que je le pouvais, que le docteur Mandragore parle d'un paiement pour sa potion ? Ou d'honoraires à lui verser une fois le traitement terminé ?

M. Climk a secoué la tête.

– Non, jamais, a-t-il répondu avec un sourire radieux. Bien sûr, comme vous, Edgar, je me suis méfié au début, mais le bon docteur a déclaré que son seul souhait était d'alléger les souffrances et que ses bonnes actions devaient rester secrètes. Comme vous le voyez, a conclu le vieil avocat en dansant une gigue guillerette devant moi, la potion du docteur Mandragore a précisément les effets annoncés.

Alors qu'il me faisait signe de la main et me promettait d'être ponctuel, j'ai laissé M. Climk sur le seuil de sa maison branlante et je me suis dirigé vers le cabinet du docteur Mandragore, qui allait me donner une coquette somme pour ma journée de travail.

Quelles qu'aient été les vertus prodigieuses de la potion, la charité du médecin cachait quelque chose, j'en étais absolument convaincu. À cette heure, je n'avais néanmoins que des questions – des questions, et l'image d'une affaire de plus en plus louche dans ma tête !

Un moment après, je me suis présenté place Debiche. Tandis que je remettais ma liste au docteur Mandragore, j'ai remarqué qu'il semblait un peu distrait. Édouard Bosc, Norbert Osselet, Marc-Rousselin Palet et Emma Bonpuits étaient déjà là, et il les guidait vers une porte au fond de son bureau.

– Par ici, par ici. Les seringues sont prêtes, mais d'abord, une bonne tasse de thé… leur a-t-il déclaré en souriant.

Il les a invités à entrer, a refermé la porte puis s'est tourné vers moi. À son attitude, j'ai eu la nette impression qu'il lui tardait de me voir partir.

– Ah, monsieur Destoits. Excellent travail, a-t-il dit. J'aurai à nouveau besoin de vos services le mois prochain.

J'ai acquiescé.

– Alors, c'est entendu.

Il a consulté sa montre.

– Encore deux patients et je pourrai commencer… Ce sera tout, monsieur Destoits.

Me lançant un sourire froid, il m'a tendu un billet de banque neuf et doucement poussé vers le couloir.

– Bonsoir, monsieur Destoits. Bonsoir.

– Bonsoir, docteur, ai-je répondu, désinvolte, par-dessus mon épaule, alors que je descendais l'escalier à pas lourds et bruyants.

Une fois en bas, j'ai pris soin de claquer la grosse porte cochère, longé la place Debiche et pénétré dans la rue Bellissime, avec ses magasins chic. Je prévoyais de trouver là un tuyau me permettant d'accéder aux toitures. Il me fallait un bon poste d'observation pour surveiller en toute discrétion les locaux du docteur Mandragore.

J'évaluais le potentiel d'une rue transversale déserte lorsque je me suis figé sur place : une paire de beaux yeux sombres me dévisageaient derrière une vitrine. Ils appartenaient à la jolie jeune assistante que j'avais vue avec signora Scutari dans le cabinet de consultation du docteur Mandragore.

J'ai jeté un coup d'œil à l'enseigne du magasin tout en traversant la rue. *SIGNORA SCUTARI*, était-il écrit. *VÊTEMENTS SUR MESURE POUR PERSONNES DE QUALITÉ*.

En effet, les mannequins de la vitrine portaient des tenues que seuls les hommes et les femmes les plus riches de la ville pouvaient s'offrir. D'élégants costumes. Des robes en satin et en lustrine. Des chemisiers en soie agrémentés de broderies. Et des manteaux ajustés, tous faits des meilleurs tissus et ornés d'une fourrure au lustre exquis – la garniture westphalienne si recherchée.

Le carillon a retenti lorsque j'ai poussé la porte.

– J'ai l'impression de vous connaître. Nous sommes-nous déjà vus ? a demandé la jolie vendeuse, ses joues prenant une rougeur charmante alors qu'elle sortait de l'étalage en vitrine.

– Edgar Destoits, ai-je dit avec une petite révérence. Nous n'avons pas été officiellement présentés, mais il m'arrive de travailler pour le docteur Mandragore. Je vous ai aperçue dans son cabinet de consultation.

Elle a paru tressaillir au nom du médecin et ses joues ont pâli. Mais, se ressaisissant aussitôt, elle m'a offert un délicieux sourire.

– Hélène. Hélène Lepreste.

– Enchanté de faire votre connaissance, mademoiselle Lepreste, ai-je déclaré cérémonieusement, et je lui ai tendu la main.

J'ai regardé autour de moi. D'autres manteaux étaient exposés : il n'y avait pas un col, pas un poignet qui ne soit décoré de la brillante garniture westphalienne – la toute dernière mode cette saison-là chez les « personnes de qualité ».

– Joli, ai-je commenté. Très joli. Les affaires doivent bien marcher.

– Elles dépendent du docteur Mandragore, a répondu Hélène, en détournant les yeux.

Avant que je puisse lui demander des explications, signora Scutari elle-même est entrée d'un pas brusque, parlant fort à une célèbre douairière.

– Venez de ce côté, ma chère madame Ducressy, a dit signora Scutari d'une voix doucereuse mais aiguë. Je veux vous montrer cette veste. Coupée dans le biais et bordée d'une garniture westphalienne acajou, très rare. Absolument irrésistible…

« Hélène. Hélène Lepreste », a-t-elle dit.

Elle s'est interrompue en nous apercevant.

– Mademoiselle Lepreste ?

Une moue dédaigneuse a tordu les lèvres de signora Scutari.

– Pour quel motif ce… ce petit employé est-il entré dans notre établissement ?

– Je ne faisais que passer, ai-je riposté.

J'ai souri, soulevé mon haut-de-forme en guise de salut à toutes les trois et quitté le magasin – non sans avoir lancé à la jolie Hélène un clin d'œil qui l'a fait rougir davantage.

J'ai regagné le trottoir d'en face et je me suis approché de la rue transversale qui avait attiré mon attention. Un robuste tuyau en fonte montait jusqu'au toit. Je m'apprêtais à l'escalader lorsqu'une main m'a saisi l'épaule. Redoutant le pire, j'ai fait volte-face. Allais-je découvrir la figure écarlate d'un agent de police ?

– Edgar Destoits !

J'avais devant moi le visage souriant du professeur Rosier-Desgranges.

– Il me semblait bien que c'était vous. Celui-là même que je cherchais.

– Vraiment, RD ? L'ennui, c'est que je suis très occupé ce soir…

Il a eu un sourire distrait.

– Oui, oui, mon garçon, a-t-il dit. J'ai une nouvelle mission pour vous.

– Serait-il possible d'en parler plus tard, RD ? ai-je demandé.

Mais sa main continuait de me serrer l'épaule avec fermeté.

– J'en aurai pour deux minutes, Edgar, a-t-il assuré d'un ton bon enfant. Marchons un peu.

En un rien de temps, nous étions déjà revenus dans la rue Bellissime et nous dirigions vers le passage du Coutelier.

– À propos, votre compte-rendu sur les bouvreuils était très complet. Preuve indéniable que ma théorie relative aux fragoliers orientaux n'avait aucun fondement.

– Oh, je suis désolé, professeur.

– Il ne faut pas, mon cher, a dit RD. Comme je vous l'ai déjà expliqué, les hypothèses scientifiques doivent être soumises à vérification si l'on veut enregistrer des progrès. Maintenant, prenons l'exemple de ces campagnols bipèdes…

– Des campagnols ? ai-je répété. Bipèdes ?

J'avais d'autres chats à fouetter.

– Exactement, Edgar. Exactement.

Son visage était rouge d'enthousiasme.

– Il y a peu, j'ai remarqué près de la rivière des empreintes de campagnols très inhabituelles, qui montrent que ces petites bêtes apprennent à marcher sur leurs pattes postérieures.

Nous avons tourné dans la rue de la Cale et continué en direction du quartier des théâtres.

– C'est donc pourquoi vous employez le terme bipède ? ai-je demandé, intrigué malgré moi.

– Oui, a répondu le professeur. Voici mon hypothèse : ils adaptent leur comportement aux épaisses broussailles du chemin de halage, qui atteignent une taille exceptionnelle depuis la baisse de la circulation fluviale…

– Et vous voudriez que j'effectue des observations ?

– J'aimerais bien, Edgar. J'aimerais beaucoup, a-t-il lancé en battant des mains. Il existe d'excellents perchoirs (de hauts murs, de grands arbres en surplomb) d'où observer ces petites créatures. En parlant de créatures…

Le professeur a fouillé dans la poche de son manteau.

– Ces échantillons assez singuliers que vous m'avez apportés l'autre semaine…

– Les poils que j'ai trouvés sur le siège du vieux Benjamin ?

Le professeur a hoché la tête et sorti de sa poche une luxueuse feuille de papier crème, couverte de minuscules symboles, chiffres et mots inscrits en noir, qu'il a agitée sous mon nez.

– Je les ai examinés avec soin et j'ai soumis chacun d'eux à différentes analyses. Des analyses qui se sont révélées fort intéressantes.

Il s'est tu un moment, comme perdu dans ses pensées. Moi, j'étais suspendu à ses lèvres.

– Continuez, RD, s'il vous plaît. Intéressantes… de quelle manière ?

– Intéressantes, a repris le professeur, parce que tout laisse penser qu'il s'agit d'un canidé sauvage.

– Quel canidé sauvage ? ai-je insisté.

– Un loup, mon cher, a précisé le professeur Rosier-Desgranges. Et un spécimen gigantesque, qui plus est. Assez extraordinaire en pleine ville, ne trouvez-vous pas ?

– Un loup dans la ville.

Mes pensées se bousculaient.

– Merci, RD, ai-je dit. Vous m'avez beaucoup aidé…

– Alors, m'aiderez-vous pour ma théorie sur les campagnols ? m'a-t-il demandé.

J'ai souri.

– Bien sûr. Dès lundi matin. Entre-temps, il faut que je vérifie quelque chose pour mon propre compte…

Nous nous sommes arrêtés devant une porte peinte en rouge, avec un heurtoir en cuivre.

– Ah ! Mon club, s'est réjoui le professeur. C'est très gentil à vous de m'avoir accompagné, très cher.

Lançant « bonsoir » à RD par-dessus mon épaule, j'ai escaladé en vitesse le tuyau le plus proche qui s'est présenté – dérangeant au passage, à leur indignation, une colonie d'étourneaux perchés. Il faisait nuit maintenant, et lorsque je suis arrivé au sommet, j'ai vu la pleine lune trembler au-dessus de l'horizon, énorme disque d'or bruni.

– Comme elle est belle ! ai-je murmuré.

Mais ensuite, je me suis souvenu de la dernière fois où je m'étais trouvé sur les toits un soir de pleine lune...

Franchissant les murs pare-feu en brique et les toits de tuiles, je suis reparti vers la place Debiche et le cabinet du docteur Mandragore. Je n'étais encore qu'à l'angle de la rue Bellissime, sur la coupole de la vieille Comédie, lorsque j'ai perçu des cris et des hurlements affolés en contrebas.

Je me suis laissé tomber sur un balcon, élancé vers un mât incliné avant de bondir jusqu'à une haute colonne dominant l'affiche illuminée du théâtre, que j'ai dévalée. Puis, agenouillé sur le portique en marbre surplombant l'entrée du music-hall de l'Alhambra, j'ai observé les rues envahies par le chaos.

Des hommes et des femmes se précipitaient en tous sens, les yeux écarquillés de terreur. Des enfants pleuraient et sanglotaient, tandis que, d'un bout à l'autre du quartier, des hurlements de chiens résonnaient dans l'air.

– Hé, vous là-bas ! ai-je lancé à un portier du théâtre qui se tenait au-dessous de moi, serrant une longue perche pour se défendre.

Il s'est retourné et a levé la tête, ses yeux pleins d'effroi.

– Que se passe-t-il ? ai-je demandé.

– La police arrive ! m'a-t-il crié. N'approchez pas ! Circulez ! Il attaque tout sur son passage. Il mord… il égorge…

– Quoi donc ? ai-je voulu savoir.

Sa réponse m'a glacé jusqu'au sang.

– Un loup, a-t-il soufflé. Un grand loup noir !

Chapitre 10

Le portier avait à peine fini de prononcer ces paroles qu'un grand animal noir a surgi d'une ruelle juste en face du théâtre. Deux yeux jaunes flamboyants se sont braqués sur le malheureux, qui a brandi sa perche avec angoisse. Alentour, les gens se sont dispersés en poussant des cris stridents. La fourrure miroitante et lustrée de l'énorme loup noir a ondulé tandis qu'il contractait ses muscles puissants et, dans un éclair indistinct, se jetait sur sa proie.

Il y a eu un craquement affreux lorsque l'animal a refermé ses robustes mâchoires sur le cou de l'homme et, d'une secousse, lui a brisé les vertèbres. Le corps du portier s'est effondré à terre, juste au-dessous de mon poste d'observation, et un flot de sang a jailli du trou béant dans sa gorge.

Le loup noir a renversé la tête en arrière, son museau taché de rouge, et a hurlé à la pleine lune.

Le loup noir a renversé la tête en arrière, son museau taché de rouge, et a hurlé à la pleine lune.

Son cri épouvantable m'a glacé jusqu'au tréfonds de mon être et fait battre le cœur à toute vitesse. Il était d'une cruauté indicible.

Comme le hurlement faiblissait, mon regard s'est posé sur des yeux jaunes étincelants que je connaissais bien. N'avais-je pas assisté à la disparition de ce loup infernal dans les cuves de l'usine Gréville ? Pourtant, il se dressait devant moi, gigantesque, noir et baigné de sang. Comment était-ce possible ? J'avais l'impression de vivre un de ces cauchemars qui poursuivent sans relâche le dormeur.

Une certitude m'est venue alors que je me tenais recroquevillé sur mon perchoir : cette créature n'appartenait pas au monde naturel…

Toutes ces pensées, et d'autres encore, se sont agitées dans mon esprit pendant les quelques secondes terrifiantes où je ne détachais pas mon regard des yeux jaunes de la créature. La voyant hésiter un instant, j'ai dégainé mon arme et frappé le plus proche des becs de gaz éclairant l'affiche du théâtre.

Le globe a volé en éclats et j'ai appuyé mon pied gauche sur l'appareil dénudé, afin de le tordre vers le sol. Alors, une grande flamme a fusé et frôlé le museau levé du loup. Celui-ci a hurlé de frayeur et, prenant la fuite, a remonté une ruelle en sens inverse. Un moment après, son immense silhouette noire s'est engouffrée dans les écuries du vieux théâtre de l'Ambassadeur.

La nouvelle de l'irruption du loup avait dû se répandre comme une toux dans un hospice, car une véritable cohue arrivait des rues voisines, des moindres tavernes et music-halls du quartier des théâtres : voyous, beaux messieurs et touristes, hérissés d'armes offensives en tout genre, des serpes aux couperets en passant par les matraques du samedi soir. La ruelle n'a pas tardé à déborder d'une foule furieuse, braillarde, qui brandissait des torches et lançait des railleries fanfaronnes en s'amassant autour de l'entrée des écuries.

J'ai évité la flamme nue du bec de gaz et, abandonnant le portique d'un bond souple, j'ai touché le trottoir en douceur. Je ne pouvais plus rien pour le malheureux portier, dont le corps gisait à mes pieds dans une mare ensanglantée.

J'ai traversé la chaussée jusqu'à la ruelle, plus encombrée encore du fait que la police locale était désormais présente avec des filets et des lanternes. Suivait la brigade des pompiers du secteur, qui manœuvrait laborieusement une grande échelle. Il ne nous manquait plus qu'une fanfare et deux ou trois troupes de carnaval, ai-je pensé tout en cherchant un tuyau à escalader, et nous serions parés pour la chasse au loup !

Comme si elle avait réagi à cette idée, une grande femme s'est retournée juste devant moi – et j'ai aperçu le tatouage d'une sirène mal rasée sur son avant-bras rebondi. Elle était d'une pâleur digne des meilleurs papiers à dessin. Une lueur est passée dans son regard lorsqu'elle m'a reconnu. J'ai souri.

– Edgar, m'a-t-elle salué d'une voix tremblante. Edgar Destoits. Vous venez pour le spectacle ? Ils ont emprisonné la terrible créature dans les écuries du théâtre de l'Ambassadeur. Une seule entrée, une seule sortie…

– Je sais, lui ai-je dit. Je l'ai vue égorger le portier de l'Alhambra il y a moins de cinq minutes.

– Je l'ai vue moi aussi ! a-t-elle soufflé. Au *Tour de cochon* ! Juste au moment où je montais réveiller Lisette l'Échaudée (elle avait je ne sais quel rendez-vous et cette idiote prolongeait sa sieste), un vacarme d'enfer a éclaté dans les mansardes…

Elle s'est interrompue, les yeux humides et le visage décomposé au souvenir de l'épisode. J'ai sorti un mouchoir d'une poche de mon gilet et je le lui ai tendu. Elle s'est tamponné les yeux et a ravalé ses larmes.

– L'animal avait dû arriver par les toits. Il était dans une rage folle, a-t-elle chuchoté dans un murmure atterré. Il m'a frôlée au passage en dévalant les marches et il a fait irruption dans le bar, ses yeux jaunes étincelants de cruauté !

Henriette s'est éventée d'une grande main tatouée.

– Bien sûr, mes clients ont cru que c'était une simple rixe. Lorsqu'il a vu qu'il ne pouvait pas sortir, a-t-elle continué, ravalant de nouveau ses larmes, l'animal s'est déchaîné. Il s'en est pris à tous ceux qui se trouvaient sur son chemin. Le vieux Tom Brunus a péri le premier, la gorge tranchée en une fraction de seconde. Puis Arnold Lemarchand. La bête ne lui a pas laissé la moindre chance…

Elle a séché une nouvelle fois ses pleurs.

– Puis le jeune Albin Chaton… Un charmant garçon. Un vrai gentilhomme… Il est mort en essayant de me sauver…

Ses larmes coulaient à présent sans retenue.

– Il s'est jeté sur la bête lorsque celle-ci s'est élancée vers l'escalier où je me tenais, aussi pétrifiée que si j'étais redevenue une attraction de carnaval ! a-t-elle expliqué en sanglotant. Mais le loup a fait volte-face et l'a attaqué comme un possédé. Il lui a déchiqueté le cou… Le sang a jailli…

– Et ensuite ? ai-je demandé, lui donnant une minute pour reprendre son calme.

– Ensuite… a dit Henriette d'une voix neutre, dépourvue d'émotion. Ensuite, l'animal a fracassé la vitrine du bar et a filé dans la rue…

À cet instant, par-dessus le brouhaha de la foule, j'ai perçu un autre bruit. Je n'étais pas le seul, car un silence a envahi la ruelle encombrée alors que tous les regards se tournaient vers les portes des écuries, d'où venait le bruit en question.

Il était effroyable. Des hennissements de terreur aveugle, auxquels se mêlaient d'atroces grondements hargneux et des rugissements rauques. Même les plus hardis des voyous présents dans la ruelle ont reculé d'un pas. J'ai dit à Henriette de garder mon mouchoir, et j'ai trouvé le tuyau que je cherchais.

Du haut d'un toit voisin, j'avais une meilleure vue sur le chaos. Les sapeurs-pompiers et les agents de police se bousculaient au premier rang de la foule, sans savoir ce qu'il fallait faire. Aucun d'eux ne voulait pénétrer en premier dans les écuries, dont les grandes portes en bois entrebâillées mettaient les spectateurs au supplice.

À l'intérieur, amplifié par la taille de l'édifice, le terrible tumulte semblait atteindre une intensité épouvantable. Les hennissements des chevaux et les grondements de la bête prisonnière devenaient si forts, si inquiétants, que certaines personnes dans la multitude se bouchaient les oreilles pour ne plus les entendre.

Un hurlement suraigu de fureur et de terreur suprême a soudain retenti et, une poignée de secondes après, un « boum ! » tonitruant : un énorme cheval de trait gris, haut de deux mètres, a surgi des écuries et fendu la foule, qui s'est écartée en toute hâte. Il y a eu quelques minutes d'affolement complet pendant lesquelles le cheval terrifié, horriblement mutilé et ensanglanté, piétinait plusieurs pompiers sur sa route et disparaissait dans la rue des Claques.

Lorsqu'un semblant de calme est revenu, tous les regards se sont tournés une fois de plus vers les portes, désormais arrachées à leurs gonds. Dans l'intérieur sombre, un silence sinistre régnait, peut-être plus effrayant que le tumulte qui l'avait précédé.

Personne ne parlait. Personne ne bougeait.

Au-dessous de moi, un agent de police tenant une courte carabine et une lanterne s'est détaché des badauds et, avec précaution, a pénétré dans les écuries. D'autres l'ont suivi, mais la moitié d'entre eux sont aussitôt ressortis et ont vomi bruyamment les restes de leur repas dans le caniveau.

Depuis l'intérieur, une voix a déclaré :

– Il n'est pas là.

La foule a poussé un gémissement.

– Alors où est-il ? a lancé un spectateur.

– Que lui est-il arrivé ?

– Aucune idée, a répondu la première voix. En tout cas, il n'est pas là. Volatilisé…

– Il a dû trouver une autre issue. Aurait-il creusé le sol ? a suggéré quelqu'un.

– Ou grimpé pour s'échapper par les toitures ?

Je savais que c'était impossible, car j'aurais vu la créature si elle s'était enfuie ainsi ; néanmoins, cette idée m'a glacé le sang. Avec un frisson, j'ai quitté le toit et pénétré dans l'édifice, derrière quelques spectateurs à l'estomac bien accroché.

Je le regrette encore aujourd'hui. Plus jamais je ne veux revoir six beaux chevaux de trait taillés en pièces dans leurs stalles. Le goût amer de la bile est monté dans ma gorge tandis que je promenais les yeux sur l'abattoir qu'étaient devenues les écuries du vieux théâtre de l'Ambassadeur.

Soudain, une voix s'est élevée dans un coin :

– Par ici !

– Quoi donc ?

– Un corps...

Je me suis avancé sur le sol ensanglanté des écuries. En effet, un corps gisait là. Il semblait avoir le cou brisé, et sa tempe portait la blessure rouge d'un sabot de cheval de trait.

– Quelqu'un connaît-il cette personne ? demandait un agent de police.

Autour de moi, tout le monde a fait signe que non. Mais, alors que la lumière dansante de la torche éclairait le cadavre, et que je voyais les cheveux noirs, les lèvres fines et le gros nez, la peau irritée, cloquée, pelée, couleur fraise, je l'ai reconnue.

C'était Lisette l'Échaudée.

Chapitre 11

Le temps pour moi de raccompagner une Henriette presque hystérique jusqu'au *Tour de cochon*, de l'aider à dégager les meubles mis en pièces et les bouteilles cassées, puis à nettoyer le sol, et de m'acquérir ainsi son éternelle reconnaissance, la nuit était passée.

Alors que le soleil se levait au-dessus des toits, j'ai regagné mon logis. J'étais fatigué. Fourbu. Je me suis traîné le long de la gouttière jusqu'à la fenêtre de ma mansarde et je suis entré.

Les terribles événements de la nuit – la bête meurtrière, le chaos dans les rues et, surtout, les yeux fixes de Lisette l'Échaudée levés vers le plafond – me semblaient à peine réels… Pourtant, sur les trottoirs, les vendeurs de journaux du matin annonçaient déjà les titres des premières éditions.

– Un loup pris de folie furieuse ! Le chien de l'enfer égorge cinq malheureux !

Je me suis débarrassé de mes bottes et glissé sous ma courtepointe – la couverture orientale que le capitaine du *Dragon de jade* m'avait donnée après l'horrible affaire du démon du temple…

Dès l'instant où ma tête a touché l'oreiller, j'ai sombré dans le sommeil comme une pierre au fond de l'eau. Mais dormir ne m'a rien valu de bon.

Mes rêves étaient peuplés d'yeux jaunes étincelants, de crocs dénudés, de portiers morts. Je voltigeais sur les toits, talonné par toute une meute de loups infernaux dont je sentais l'haleine fétide et tiède dans mon cou, lorsque je me suis élancé vers une cheminée, saut téméraire que je n'aurais jamais dû tenter. En effet, ç'a été la culbute. Une longue, longue chute dans le noir, puis la figure rouge et croûteuse de Lisette l'Échaudée est apparue, menaçante…

Je me suis réveillé en sursaut, ruisselant de sueur et empêtré dans mes draps. La lumière vive de l'après-midi pénétrait par un interstice des volets et se répandait dans mon logis encombré.

– C'était juste un rêve, ai-je dit tout haut. C'est fini à présent.

Mais à l'instant même où je prononçais ces mots, j'ai su qu'ils n'avaient rien de vrai. Ce n'était pas un rêve… et l'histoire n'était pas terminée du tout !

Je me suis levé, aspergé le visage et habillé. Dans la terreur et la confusion de la nuit précédente, je n'avais pas pu épier le cabinet de consultation du docteur Mandragore. J'ai secoué la tête. Je savais ce qu'il me fallait faire… et j'en avais le cœur glacé.

Sans plus de cérémonie, j'ai voltigé jusqu'à l'immeuble où exerçaient MM. Vaillant et Climk, je me suis introduit par une fenêtre ouverte au quatrième étage et j'ai descendu l'escalier pour me présenter devant l'étude des deux messieurs. J'ai frappé.

– Entrez ! a lancé une voix.

J'ai poussé la porte.

– Oh, Edgar, a dit M. Vaillant en me voyant. Approchez, approchez…

– Monsieur Climk est-il sorti ? ai-je demandé, espérant malgré tout, alors que j'apercevais le siège vide de l'autre côté de la fenêtre, face à celui du jeune avocat.

– Non, Edgar, m'a répondu ce dernier. Et c'est très inhabituel : monsieur Climk n'est pas venu au bureau ce matin.

Le découragement m'a saisi.

M. Vaillant a désigné du menton le secrétaire de son collègue. Celui-ci était rangé, les plumes taillées bien alignées, les encriers remplis et bouchés, un buvard neuf à portée de main. Le vieil homme avait manifestement l'habitude de préparer ses affaires pour le lendemain. Mais là, les outils de sa profession étaient demeurés tels quels.

– Je ne comprends vraiment pas, disait M. Vaillant. Il travaille à ce secrétaire depuis quarante-sept ans (je n'ai débuté ici que bien plus tard) et il n'a jamais manqué une seule journée. Même quand ses douleurs le tourmentaient, il était ici à huit heures précises. On pouvait régler sa montre sur lui, Edgar. Je n'arrive pas à imaginer ce qui a pu se produire. Il n'est certainement pas malade ! Vous le savez, il a retrouvé une santé de fer, dès le moment où…

– Il a commencé à prendre la potion du docteur Mandragore, l'ai-je interrompu.

– Exactement, a-t-il confirmé.

Il a observé un silence. Puis :

– Je me demande si vous auriez la bonté d'aller voir chez lui. Je peux vous donner son adresse…

– Inutile, ai-je dit en tapotant la poche de mon gilet. J'ai déjà l'adresse de monsieur Climk.

– Ah bon ?

– Oui, ai-je répondu, réfléchissant à toute vitesse. Et je me ferai un plaisir de passer chez lui.

– Merci, Edgar ! a déclaré M. Vaillant avec une vigoureuse poignée de main. Voilà qui me tranquillisera !

Revenu sur les toits, je me suis accordé un moment pour contempler la misère et la splendeur de la ville autour de moi. Les toitures noires de suie du Nid de guêpes, où habitait M. Climk, et les grandes flèches élégantes du quartier des affaires. Me détournant, je me suis éloigné dans une tout autre direction. Si je voulais avoir une chance de trouver M. Climk, je savais où commencer mes recherches…

Vingt minutes plus tard, tandis que le soleil baissait déjà dans le ciel, je suivais à pas d'équilibriste les tuiles faîtières au sommet de la courbe formant la place Debiche. Au numéro 27, j'ai fait halte, descendu la pente et inspecté une lucarne que je venais de remarquer.

De près, il s'est révélé qu'elle était solidement fermée. En outre, un genre de volet mécanique masquait l'intérieur.

Bizarre, me suis-je dit alors que je franchissais le bord du toit. Une lucarne qui fait obstacle à la lumière…

J'ai dévalé un tuyau de descente et sauté à terre d'un bond léger. J'étais en train de vérifier qu'il n'y avait pas d'agent de police aux aguets avant de passer l'angle et de me diriger vers la porte d'entrée lorsque celle-ci s'est ouverte. Et qui vois-je ? Hélène Lepreste, la jolie vendeuse ! Seulement, ce jour-là, son visage était blême et fatigué, ses yeux avaient une expression apeurée, soucieuse.

Elle et l'autre demoiselle que j'avais aperçue en sa compagnie portaient une énorme caisse d'emballage qu'elles ont traînée à grand-peine au bas des marches, en direction d'une calèche à l'arrêt. Je les aurais aidées s'il n'y avait pas eu leur employeuse. Car signora Scutari a surgi derrière elles, agitant son parapluie et réclamant qu'Hélène prenne « soin de la marchandise », daigne « hâter le mouvement et abandonner cette mine boudeuse, ma fille. Je ne sais pas où il s'approvisionne, mais quel autre fournisseur peut se prévaloir d'une telle qualité ? Je vous le demande ! ».

Une fois la caisse hissée dans la calèche, toutes les trois ont disparu au milieu d'un tourbillon de poussière, de claquements de fouet et de cris au cocher : « Plus vite ! Plus vite ! Nous avons des clients qui attendent ! »

J'ai franchi l'angle, le concierge m'a introduit dans l'immeuble et j'ai gravi l'escalier jusqu'au dernier étage.

– Oh, monsieur Destoits, a dit le docteur Mandragore d'un ton quelque peu distrait lorsqu'il a ouvert la porte derrière laquelle se tenait votre serviteur. Veuillez entrer et patienter dans mon cabinet de travail. J'ai une petite affaire à terminer.

La petite affaire, semblait-il, était une grosse liasse de billets qui gonflait la poche intérieure de sa blouse blanche – des billets encore imprégnés, discrètement mais distinctement, du parfum de signora Scutari.

Je suis passé dans le cabinet du médecin, avec son grand bureau et ses fauteuils en cuir, et je me suis assis. Le docteur Mandragore a disparu dans la pièce à l'arrière sans refermer la porte. Je me suis levé en silence, approché sur la pointe des pieds et permis un coup d'œil à l'intérieur.

La pièce était sombre et paraissait capitonnée. Elle dégageait une forte odeur de savon, sous laquelle perçaient des effluves de décapant. Elle ne contenait rien, hormis un gros crochet suspendu au plafond matelassé juste à côté de la lucarne obturée que j'avais vue du dehors. Dans un coin de la pièce, le médecin plaçait ses billets au creux d'un coffre-fort mural et gloussait tout bas, ravi.

J'ai regagné mon siège, mais remarqué au passage la trousse de médecin (celle qui portait les initiales d'or pâlies *N. J. W.*) posée à côté du bureau. Après un rapide coup d'œil vers la pièce capitonnée, je me suis agenouillé pour ouvrir la trousse.

À l'intérieur étaient logées six seringues chromées en verre, avec un piston d'un côté et une longue aiguille étincelante de l'autre. Puis j'ai remarqué autre chose. Cinq des six seringues avaient été utilisées : les pistons étaient abaissés, le contenu expulsé, sans doute injecté par le bon docteur dans les veines de ses patients. La sixième seringue, elle, demeurait intacte. Le piston était remonté au maximum et le tube de verre empli d'une substance épaisse, d'un blanc argenté…

À cet instant, j'ai entendu le cliquetis du coffre-fort qui se refermait dans la pièce capitonnée derrière moi. Vite, j'ai sorti un mouchoir de la poche de ma veste et l'ai enroulé autour de l'aiguille de la sixième seringue, que j'ai glissée dans la poche la plus profonde de mon gilet.

J'avais juste eu le temps de regagner mon siège lorsque le médecin est réapparu dans le cabinet... mais un instant plus tard, j'ai maudit en moi-même ma négligence. J'avais laissé la trousse ouverte à côté du bureau. Par chance, le docteur Mandragore n'a pas semblé le remarquer. Il était détendu et heureux ; il pensait sans doute toujours à la fortune en billets de banque entassée dans son coffre-fort. Il s'est assis dans le fauteuil face à moi avant d'ajuster son pince-nez.

– Alors, que puis-je pour vous, monsieur Destoits ? a-t-il demandé en plissant les yeux.

– J'ai de mauvaises nouvelles, docteur, ai-je dit. Concernant l'une de vos patientes. Lisbeth Oriam. Elle a été tuée la nuit dernière, dans des circonstances effroyables...

– Tuée ?

Le docteur a cessé de sourire et son regard s'est aiguisé.

– Je me suis interrogé lorsqu'elle ne s'est pas présentée au rendez-vous. Tuée, dites-vous ?

– Elle s'est trouvée mêlée à la panique du quartier des théâtres, ai-je expliqué, et un cheval l'a tuée d'une ruade, semble-t-il. On a découvert son corps dans les écuries de l'Ambassadeur.

Le médecin a pris une inspiration bruyante.

– Oui, oui, l'attaque du loup. J'en ai lu le récit dans le journal de ce matin. Très regrettable, a-t-il marmonné. Vraiment très regrettable. Pauvre Lisbeth. Ma potion lui avait fait le plus grand bien, redonné une santé exceptionnelle… J'attendais notre rendez-vous final avec une telle impatience. Mais bon, a-t-il terminé en haussant les épaules, je crois que nous n'y pouvons rien.

– Il y a une autre petite chose, ai-je annoncé en levant les yeux.

– Oui ? a dit le médecin, souriant de nouveau.

– Aloïs Climk, ai-je répondu. Un de mes vieux clients. Il n'est pas venu travailler ce matin.

– Quel rapport avec moi ? a voulu savoir le docteur Mandragore.

– Il s'agit de l'un de vos patients, docteur. Je lui ai porté votre lettre. Il est avocat ; plutôt riche, de l'avis général. Vous le connaissez sous le nom de monsieur Klymkowski.

Le sourcil droit du médecin s'est arqué. L'homme a posé sur moi un regard sombre.

– Un riche avocat, dites-vous ? Mais il avait l'air d'un vieux clochard ! Il vivait dans ce quartier misérable que vous appelez… le Nid de guêpes, n'est-ce pas ?

– Sa maison de famille, ai-je expliqué. Monsieur Climk… pardon, monsieur Klymkowski se soucie peu de son apparence. Mais il est l'un des meilleurs avocats de la ville…

– Monsieur Klymkowski est venu ici hier au soir, m'a interrompu le docteur Mandragore. Je lui ai administré l'ultime dose et il est parti, complètement guéri.

Il a plissé le front.

– Quand j'y repense, je me souviens qu'il a parlé d'un projet de voyage, du côté de la mer, si ma mémoire est bonne…

– Un voyage du côté de la mer ? ai-je repris. De la part de monsieur Climk, c'est surprenant…

Le médecin m'a de nouveau interrompu.

– Mon cher monsieur Destoits, m'a-t-il déclaré, lorsque le traitement de mes patients se termine, je leur souhaite une longue vie florissante et les raye de mes listes. Mais si j'avais su que votre monsieur Climk était un riche avocat, je n'aurais jamais accepté de lui donner ma potion, pour commencer.

– Vous n'auriez pas accepté ?

– Bien sûr que non, monsieur Destoits.

Le médecin a ajusté son pince-nez et braqué sur moi ses yeux gris acier.

– Ma potion est destinée aux pauvres et aux nécessiteux, aux opprimés et aux oubliés. Mais puisque vous avez distribué mes lettres de rappel, monsieur Destoits, m'a-t-il lancé avec un sourire vorace, vous ne devriez que trop le savoir.

J'ai souri aussi sereinement que possible et je me suis apprêté à partir.

– Vous êtes un véritable philanthrope, docteur, lui ai-je dit.

– J'aurai besoin de vos services le mois prochain à la même date, monsieur Destoits. Je pourrai compter sur vous, j'espère.

– Certainement, docteur Mandragore, ai-je répondu.

Néanmoins, en quittant son cabinet de consultation, je savais que je le reverrais beaucoup plus tôt. Mais alors, lui ne me verrait pas…

Au cours de la semaine suivante, je n'ai pas quitté le bon docteur d'une semelle. Du haut des toits, j'ai observé ses moindres déplacements tandis qu'il s'aventurait dans les quartiers les plus pauvres de la ville, s'arrêtait et bavardait avec tous les gens qu'il rencontrait. S'il prenait congé de certains après une brève conversation, il passait des heures avec d'autres, les écoutant décrire leur mauvaise santé et leurs infortunes. Perché sur un rebord ou caché dans une embrasure de porte, je tendais l'oreille alors que le médecin se mettait au travail.

Dans la ruelle de l'Abattoir, je l'ai entendu dire à une vieille lavandière :

– Quel malheur, chère madame. Et il n'y a personne pour s'occuper de vous ?

– Non, non, a bredouillé la vieille femme d'une voix faible. Absolument personne au monde. Je vis toute seule, voyez-vous. Depuis toujours – enfin, depuis la mort de mon Alphonse…

– Et, bien sûr, cette situation doit encore vous compliquer l'existence, a murmuré le médecin d'un ton soucieux. N'avez-vous pas des voisins qui pourraient vous aider ? Des amis, peut-être ? De la famille ?

– Je vous l'ai dit, monsieur le docteur. Il n'y a personne.

– Oh, c'est très triste, a déclaré le médecin, et depuis ma cachette, à mi-hauteur du mur dans le passage mitoyen, je l'ai vu ouvrir sa sacoche et en sortir l'une de ses bouteilles bleues. Indiquez-moi votre adresse, chère Lily Balancelle, et je vous donnerai une de mes potions spéciales. Vous devrez en prendre une cuillerée par jour pendant les trois prochaines semaines, puis venir à mon cabinet pour la fin du traitement… Je vous enverrai une lettre de rappel, a-t-il terminé en souriant.

– C'est très gentil à vous, docteur, a répondu Lily, mais je ne peux pas me le permettre. J'ai déjà du mal à joindre les deux bouts, entre la lessive et mes maux de dos…

– Je ne vous demande pas d'argent, l'a-t-il rassurée. Il me suffit de savoir que j'ai aidé quelqu'un d'aussi méritant que vous.

Il a noté l'adresse de la lavandière dans son petit carnet noir, incliné son chapeau et repris son chemin.

La deuxième bouteille de potion du docteur Mandragore est allée à un chiffonnier édenté, rencontré alors qu'il parcourait les rues de l'est de la ville avec son cheval et sa charrette. Veuf, sans frère ni sœur, sans fils ni fille, l'homme s'est montré ravi d'essayer le tonifiant offert par le médecin.

– *Un élixir efficace pour améliorer les capacités mentales et physiques*, a garanti ce dernier, montrant les mots sur l'étiquette tout en lisant.

– Mentales, je ne sais pas ! s'est exclamé l'homme. Je n'en ai jamais eu beaucoup dans le ciboulot, a-t-il déclaré en se tapotant la tempe. Pas comme vous, docteur. Mais ces capacités physiques, comme vous dites, ce serait une chance d'en profiter.

– Avec plaisir, monsieur Olivet, a souri le médecin. Avec grand plaisir !

À Lily Balancelle et Gaston Olivet se sont bientôt ajoutés Élisa Chasseur, Victoire Drapier, Marion Boulotte et un entrepreneur des pompes funèbres, grand et voûté, qui s'appelait Ferdinand Cairn.

Je suis retourné place Debiche le lendemain du jour où le docteur Mandragore avait proposé sa potion à M. Cairn, puis le surlendemain. Et, pour la bonne mesure, un troisième matin encore. Mais le médecin ne s'est plus rendu dans le Nid de guêpes, sur la Rive droite ou dans un autre quartier miséreux. Ce qui tombait bien, car j'avais besoin de temps pour préparer la suite.

D'abord, outre mon travail habituel, il y avait l'importante recherche que je menais à la bibliothèque d'Inframont pour les érudits de l'Arcane, recherche qui se révélait très intéressante. Il y avait aussi les expériences fort complexes dans lesquelles j'avais engagé RD, m'obligeant à sillonner la ville pour acheter des préparations pharmaceutiques par sachets entiers…

Au milieu de la nuit qui précédait mon nouveau (et dernier, espérais-je) rendez-vous chez le docteur Mandragore, j'ai entendu la voix du professeur tonner :

– Sapristi, je crois que je l'ai !

Nous étions tous deux dans son laboratoire. Je somnolais sur le canapé. Je relisais mes plus récentes notes prises à la bibliothèque, en essayant de rassembler les bribes d'informations, lorsque je m'étais assoupi. Pendant ce temps, le professeur, penché sur un réseau compliqué de flacons, de casseroles en cuivre, de cloches en verre et d'éprouvettes, une pipette à tétine dans les mains, versait une goutte de liquide jaunâtre dans le tube à essai qui bouillonnait devant lui.

– En êtes-vous sûr ? ai-je demandé, bondissant du canapé.

– Sûr et certain, Edgar, m'a-t-il répondu en approchant de la lumière une petite fiole de liquide vert sombre. Donc, selon ma théorie, une solution administrée par voie orale peut bloquer très efficacement au niveau intracellulaire les prédispositions photolycanthropiques...

Comme j'écoutais le professeur décrire les subtilités de l'expérience qu'il avait réalisée, j'espérais, envers et contre tout, que cette théorie-là ne serait pas démentie...

Le lendemain matin, j'ai voltigé jusqu'à la place Debiche et je me suis présenté devant le docteur Mandragore à sept heures précises.

– Ponctuel, comme d'habitude, monsieur Destoits, m'a-t-il félicité, l'œil pétillant. Je vous ai préparé les enveloppes.

J'ai remercié le bon docteur puis, fourrant les six lettres dans une poche de mon gilet de braconnier, je l'ai salué.

Une fois remonté sur les toits, je me suis appliqué à mettre une distance raisonnable entre la place Debiche et moi. Alors, faisant halte près d'une petite tour crénelée, je me suis assis et j'ai sorti les documents donnés par le médecin. Comme prévu, je connaissais tous les destinataires : *Lily Balancelle. Gaston Olivet. Élisa Chasseur. Victoire Drapier. Marion Boulotte. Ferdinand Cairn.*

J'ai regardé les adresses et je les ai recopiées. C'étaient toutes des bicoques croulantes dans des rues délabrées. Puis, le cœur battant sous mon gilet,

Ils ont voleté vers le sol, telles des plumes sur une lande peuplée de lagopèdes.

j'ai fait ce que je n'avais jamais fait jusque-là – ce que nul envoyé tic-tac compétent ne ferait jamais de son plein gré.

Je les ai déchirées.

Les enveloppes, ainsi que les lettres à l'intérieur… Lambeau après lambeau, je les ai réduites en mille petits bouts de papier que j'ai réunis dans ma main et, m'avançant à l'extrême limite de l'édifice, jetés au vent. Ils ont voleté vers le sol, telles des plumes sur une lande peuplée de lagopèdes.

Ensuite, me rasseyant, j'ai tiré de ma veste six enveloppes neuves, six cartes manuscrites, et avec elles six fioles remplies de la teinture vert sombre. J'ai glissé dans chaque enveloppe une carte et une petite bouteille bien fermée, recopié les noms et les adresses dessus. Et je me suis dirigé vers ma première destination.

Lily Balancelle semblait m'attendre.

– Vous venez de la part de ce charmant docteur Mandragore, n'est-ce pas ?

J'ai confirmé.

– Il faut que je vous dise, ce médecin, il accomplit des miracles, a-t-elle déclaré, un grand sourire lui plissant le visage. Je ne me suis jamais sentie aussi bien de toute mon existence.

Je lui ai tendu l'enveloppe.

– Oh, lisez-la-moi, vous serez gentil. Les mots, ça n'a jamais été mon fort.

J'ai ouvert l'enveloppe et j'en ai sorti la carte :

– *Voici la fin de votre traitement.*

Je lui ai donné la petite bouteille.

– *Prenez ce médicament sans attendre. Votre rendez-vous a été annulé*, ai-je lu tandis que Lily Balancelle débouchait le flacon et buvait son contenu. *Le docteur Mandragore est souffrant.*

Chapitre 12

Le docteur Mandragore n'était pas idiot. Il avait eu soin de nouer des relations. Il avait gagné la confiance du directeur de la police et pris comme partenaire commerciale signora Scutari, la cousine du maire. Tant qu'il restait discret et qu'il limitait ses sombres affaires aux quartiers les plus pauvres de la ville, il se croyait intouchable.

Mais moi, je n'allais pas le tolérer. Qu'importe le directeur de la police, le maire et signora Scutari : c'était ma ville et j'allais la protéger ! J'avais l'intention de révéler au docteur Mandragore qu'il était démasqué ; et s'il refusait de plier bagage et de partir au cours de la nuit même, je n'hésiterais pas à crier sur les toits son secret sordide, si nécessaire.

Or, comme vous ne pouvez manquer de le savoir à présent, s'agissant des toits, j'ai quelques connaissances ! Néanmoins, c'est avec appréhension que je suis retourné place Debiche ce soir-là, tandis que le soleil déclinait.

– Ah, monsieur Destoits, je suis content de vous voir, a déclaré le docteur Mandragore avec un sourire alors qu'il ouvrait la porte de son cabinet et me priait d'entrer. Je dois vous avouer que je m'inquiétais un peu. Le crépuscule approche, mais aucun de mes patients ne s'est encore présenté pour terminer son traitement. Vous avez bien distribué mes lettres de rappel, je suppose ?

J'ai fait non de la tête.

– Non, monsieur Destoits ?

Le sourire s'est figé sur son visage, puis lentement effacé, pour laisser place à une expression beaucoup plus sévère.

– Non ?!

– Il faut que nous parlions, ai-je annoncé.

– Il le semble en effet, monsieur Destoits, a confirmé le docteur Mandragore, un soupçon de froideur dans la voix. Venez dans mon cabinet de travail. Nous nous expliquerons là-bas.

J'ai suivi le médecin dans la salle d'attente. Les six fauteuils rouges aux passepoils et aux pompons dorés n'étaient plus contre le mur, mais formaient à présent un cercle convivial, destiné aux patients qui auraient dû arriver. Débarrassée des périodiques, la petite table accueillait un plateau laqué, chargé de six tasses à thé. Nous sommes passés dans le cabinet.

– Asseyez-vous, monsieur Destoits, m'a dit le docteur Mandragore.

Je me suis installé.

– Alors, a-t-il commencé, vous voulez peut-être me donner quelques explications.

– J'espérais plutôt, docteur Mandragore, ai-je répliqué d'un ton calme et ferme, que vous me donneriez, à *moi*, des explications.

Le médecin a hésité ; derrière ses verres teintés, ses yeux gris acier me dévisageaient, comme s'il essayait de lire mes pensées. Puis il a souri.

– Très bien, monsieur Destoits, a-t-il déclaré. Mais d'abord, une bonne tasse de thé ?

J'ai acquiescé. Il a soulevé une théière en argent qui occupait un coin de son bureau et m'a indiqué d'aller chercher des tasses. J'en ai pris deux dans la salle d'attente et je suis revenu. Je ne sais pas vraiment ce que j'avais pressenti. Un accès de fureur ? Une violente diatribe ? Des menaces et des dénégations ? Mais si le médecin voulait se montrer courtois, je n'y voyais pas d'inconvénient.

Souriant, il a versé le thé brûlant dans les deux tasses.

– Du lait ? m'a-t-il proposé. Du sucre ?

J'ai accepté l'un comme l'autre.

– Alors, monsieur Destoits, a-t-il dit d'un ton doucereux pendant qu'il remuait la boisson et plaçait la tasse fumante devant moi, quel semblerait donc être le problème ?

– Le problème, docteur, ai-je commencé aussi calmement que possible, c'est que vos patients ont une fâcheuse tendance à disparaître.

Le médecin a haussé les épaules.

– Une fois leur traitement terminé, ils ne sont plus mon affaire, monsieur Destoits.

– Vraiment, docteur ? Et Lisbeth Oriam, alors ? Alias Lisette l'Échaudée. Retrouvée morte dans un lieu où un loup s'était déchaîné... Le genre d'animal que j'ai moi-même rencontré la nuit où le vieux Benjamin a disparu – un autre de vos patients, docteur.

Les yeux gris acier du médecin m'ont transpercé.

– Néanmoins, la présence des loups en ville n'est pas nouvelle... Vous ne le savez que trop, docteur Mandragore.

J'ai observé un silence et je me suis penché afin de prendre la tasse – que j'ai reniflée.

Le médecin m'a lancé un sourire entendu.

– Vous êtes trop astucieux pour moi, monsieur Destoits, a-t-il dit en ôtant son pince-nez. Le thé contient en effet un anesthésique. J'ai remarqué qu'il contribuait à calmer mes patients avant leur ultime métamorphose.

– J'ai effectué des recherches, docteur Mandragore, ai-je révélé d'un ton mesuré, tandis que je reposais la tasse dans sa soucoupe. Ou devrais-je dire docteur Klaus... et plus exactement Niklaus Johannes Westphale, chasseur de loups-garous ?

Ma main s'est refermée sur ma canne-épée, mais mon interlocuteur a continué de sourire.

– N. J. W. : les initiales qui figurent sur votre trousse de médecin.

– Oui, oui, monsieur Destoits. Je suis bel et bien le docteur Westphale.

Il s'est incliné dans son fauteuil et a écarté ses longs doigts maigres sur le bureau devant moi. Son visage était blême et fatigué.

– J'ai passé ma vie à débarrasser le monde des loups-garous, à les traquer, à les détruire… Et quels remerciements ai-je obtenus ? a-t-il demandé avec une grimace de colère. Une pension minuscule ; la peur et le mépris de mes semblables. J'ai fini par tomber malade. Alors, j'ai fait ce que j'avais fait tout au long de mon existence.

Son poing noueux s'est abattu sur le bureau.

– J'ai contre-attaqué. J'ai mené des expériences (raffinage, distillation) jusqu'à ce que je découvre un remède…

– Votre potion ? ai-je dit, la bouche sèche.

– Ma potion, a confirmé Westphale. Un distillat de salive de loup-garou, mon cher monsieur Destoits. Source d'une violente énergie animale et d'une vitalité sans bornes, qui perdurent encore aujourd'hui, presque un siècle plus tard… mais à un certain prix. Celui qui l'absorbe risque de se métamorphoser en loup-garou si les rayons de la pleine lune le frappent.

Un regrettable effet secondaire, dont j'ai su pourtant tirer parti. Grâce à la fausse annonce de ma mort, il y a toutes ces années, j'ai pu refaire surface et profiter de ma stupéfiante découverte.

J'ai secoué la tête avec colère. Je pensais à Lisette l'Échaudée, et à son immense courage après la terrible explosion du fourneau. À Marc-Rousselin Palet et à Norbert Osselet – des hommes braves, sérieux, reconnaissants que quelqu'un ait bien agi envers eux et soulagé leurs maux, tous deux si cruellement trahis. Et je n'oubliais pas le vieux Benjamin, le cocher à la retraite qui avait été pour moi un si fidèle ami...

– Je me suis mis en quête des faibles, des pauvres, des vulnérables (ceux que personne ne regretterait) et je leur ai offert ma potion. Puis je les ai invités à la pleine lune suivante pour une ultime piqûre...

– La seringue, l'ai-je interrompu. Teinture de belladone et de mercure.

Le médecin a souri.

– Vous avez bel et bien mené votre recherche. Je suis impressionné, monsieur Destoits. J'étais chasseur de loups-garous, le plus grand qui ait jamais existé. Je sais tout ce qu'il faut savoir sur la mise à mort du lycanthrope. Mais ma solution fixatrice est ma découverte essentielle, encore supérieure à ma potion. Mes victimes ne reprennent jamais leur forme humaine, elles meurent dans leur fourrure de bête.

Il s'est frotté les mains d'un air ravi.

– Comme je vous l'ai dit, monsieur Destoits, j'ai su tirer parti des regrettables effets secondaires.

J'ai frissonné.

– Vous les écorchez, docteur, et vous vendez leur pelage sous le nom de…

– Garniture westphalienne, a gloussé le médecin, dont le bras droit s'est détendu comme un ressort.

J'ai senti une douleur intense et, baissant les yeux, aperçu une flèche garnie de plumes enfoncée dans mon épaule.

– De l'anesthésique dans le thé.

Westphale a ri.

– Mon cher monsieur Destoits, il y a plusieurs façons d'écorcher un loup.

Un loup… Un loup… Un loup…

Les mots ont résonné dans ma tête pendant que j'essayais en vain de quitter mon fauteuil et de dégainer mon épée. La pièce entière tournait autour de moi, floue. Mon corps me semblait à la fois engourdi et incroyablement lourd. Mes oreilles se sont mises à bourdonner très fort, puis…

Plus rien.

Je ne sais pas combien de temps je suis resté inconscient, mais lorsque j'ai repris connaissance, j'étais allongé sur le sol matelassé du laboratoire de Westphale. J'ai promené un regard faible alentour : les murs capitonnés, le crochet étincelant loin au-dessus de moi.

– Vous m'étonnez, monsieur Destoits.

C'était la voix du médecin, et elle venait de l'autre côté de la pièce. Dans un suprême effort, j'ai tourné la tête. Il se tenait là-bas, près du mur. Il portait une blouse blanche de chirurgien et de longs gants en caoutchouc. Dans ses mains pointait une énorme seringue levée, dont il mesurait le contenu argenté d'après les graduations. Il a fait volte-face et esquissé un sourire.

– Je pensais que vous résisteriez davantage.

Je n'ai rien répondu. Mais intérieurement, je bouillonnais et je hurlais. Comme j'avais été stupide ! J'aurais dû le transpercer d'abord avec ma canne-épée et l'interroger ensuite. Au lieu de cela, j'étais désormais à sa merci.

Il s'est approché de moi, remontant son pince-nez tandis qu'il avançait.

– Toutes mes excuses pour la grossièreté avec laquelle j'ai dû vous administrer ma potion, a-t-il ajouté. D'habitude, mes patients suivent un traitement de trois semaines, mais dans votre cas, monsieur Destoits…

– Mon cas ? ai-je répété d'une voix rauque – et tandis que je prononçais ces mots, j'ai senti combien ma gorge était meurtrie et irritée.

Le médecin a indiqué du menton les trois bouteilles bleues, vides, à côté de moi, ainsi que l'entonnoir et le tube en caoutchouc.

– Il a fallu que vous absorbiez une dose particulièrement concentrée, a-t-il expliqué. Simple précaution.

J'aurais voulu bondir sur mes pieds, mais je ne pouvais pas remuer un seul muscle. Les effets persistants de la flèche anesthésiante étaient trop forts.

– Bien, a-t-il continué en me souriant de toute sa hauteur, et si nous passions au traitement final ?

Sur ces mots, il s'est détourné pour enfiler une énorme cagoule, avec de sinistres panneaux de verre noirs à la place des yeux. Puis, levant le bras, il a empoigné l'épaisse corde de la lucarne et l'a tendue. Il y a eu un cliquetis et un grincement. Lentement mais sûrement, le volet latté au-dessus de ma tête a commencé à s'ouvrir. Et la grande sphère blanche de la pleine lune est apparue. Resplendissante, elle m'a inondé de sa lumière argentée.

Avez-vous déjà senti la peau de vos bras et de vos jambes se décoller lentement ? Vos muscles se déchirer, partir en lambeaux, tandis que tous les os de votre corps s'efforcent de percer votre chair ? Avez-vous déjà senti tous vos tendons et tous vos ligaments s'étirer, prêts à rompre, tandis que votre squelette cherche à se disloquer de l'intérieur ?

Ce sont les impressions qui vous saisissent lorsque vous devenez un loup-garou. Et c'est une épreuve que je n'oublierai jamais, aussi longtemps que je vivrai.

Mes doigts et mes orteils se sont allongés et mués en pattes griffues. Mon cou s'est crispé, mon ventre s'est contracté, mes muscles se nouaient et ondulaient. Soudain, ma langue, longue et luisante, s'est mise à pendre au coin de ma bouche, tandis que mon nez et ma mâchoire prenaient la forme d'un long museau menaçant, aux babines retroussées sur des crocs baveux. Et comme je me tordais, en proie à une affreuse douleur, mon corps entier s'est couvert d'une épaisse fourrure brun sombre, satinée…

– Aaah-ooouuu-ooouuu ! ai-je crié malgré moi, rejetant la tête en arrière et hurlant à la lune.

Lorsque j'ai baissé le museau, j'ai vu la seringue du médecin briller dans la lumière – la seringue contenant la teinture de belladone et de mercure qui allait me tuer. Soudain, tout m'est apparu avec une horrible évidence. Je serais pendu au crochet, comme les autres victimes avant moi, dont le sang tachait encore les murs capitonnés gris pâle. Je serais écorché des pieds à la tête, ma peau serait vendue à signora Scutari, qui ne poserait aucune question et en tirerait un col ou un parement de fourrure précieuse pour un client aisé : la fameuse garniture westphalienne.

Non, me suis-je dit, m'évertuant à retrouver en moi un reste de nature humaine, je refuse de devenir un animal !

Puisant au plus profond de mon être, j'ai rassemblé toutes mes forces et raidi mes muscles alors que la sinistre silhouette du médecin s'approchait de moi, serrant dans sa main la seringue mortelle.

Plus près… Plus près…

Tout à coup, avec un hurlement effroyable, je me suis jeté sur le médecin et l'ai renversé. Nous sommes tombés à terre avec un bruit mat. Westphale a lâché la seringue, qui a rebondi sur le sol capitonné.

Encore aujourd'hui, je ne sais pas très bien ce qui m'a pris – mais j'étais un loup, j'étais en danger, et j'ai réagi comme n'importe quelle bête aux abois. J'ai voulu déchirer la gorge du médecin. Mes mâchoires n'ont saisi qu'une bouchée de gaze épaisse, cotonneuse : la cagoule, que j'ai arrachée d'un petit mouvement du cou.

Durant quelques secondes, j'ai regardé avec fureur ces yeux gris acier qui scintillaient dans le clair de lune. Ils m'ont fixé eux aussi, avec une expression de terreur absolue.

– Non, a gémi Westphale. Non… Non, non, non…

Sa voix était forte, affolée.

– Non !

Il s'est retourné et a levé la tête vers le disque blanc de la pleine lune, le visage déformé par la peur…

– Nooon ou-ooouuu !

À cet instant, sa voix s'est brisée : son cri d'angoisse humaine s'est changé en un terrible hurlement de loup.

Dans le même temps, son corps a commencé à se contracter. J'ai vu ses membres se plier, ses muscles se tordre, comme si la foudre l'avait frappé. Le médecin subissait une métamorphose identique à la mienne.

Selon mes calculs, Klaus Johannes Westphale avait dépassé les cent cinquante ans. Sa maudite potion lui avait permis de rester jeune et vigoureux et, à la différence de ses malheureux patients, il s'était toujours prémuni contre les rayons de la pleine lune. Mais aujourd'hui, la chance l'abandonnait.

Horrifié, j'ai vu ses doigts s'allonger et se recourber, ses ongles durcis devenir des griffes cruelles. J'ai vu son dos s'arquer, se courber en arrière ; sa mâchoire s'allonger, se hérisser de crocs luisants. Et, tandis que l'abominable transformation se déroulait, des plaintes profondes, rauques, résonnaient dans sa gorge, moins humaines et plus bestiales de seconde en seconde.

Puis, comme je demeurais paralysé, cloué sur place, ses vêtements sont partis en lambeaux et sa fourrure est apparue. Épaisse, lustrée, aussi blanche qu'une neige pure et drue, elle a envahi son corps de loup. Elle a poussé sur ses membres, sur son dos, particulièrement longue et luxuriante au niveau du cou. Sur ses oreilles, autour de ses yeux, le long de son museau, jusqu'à sa gueule ouverte, grondante, haineuse…

Avec un cri terrifiant, la créature infernale qu'était devenu le médecin m'a assailli et projeté contre le mur capitonné de la pièce. Pendant une seconde, je suis resté étourdi, la respiration coupée, mais rien qu'une

Avec un cri terrifiant, la créature infernale m'a assailli.

seconde. Aussitôt après, j'ai bondi hors d'atteinte des crocs étincelants et fait volte-face, ma propre gueule entrouverte, grondante, pendant que la fourrure de mon cou et de mon échine se dressait.

Une sombre fureur indicible est montée en moi. Je ne voulais pas seulement tuer le loup blanc qui décrivait des cercles autour de moi, ses crocs étincelants, ses yeux gris perçants réduits à des fentes malveillantes tandis qu'il observait ma gorge ; je voulais le mettre en pièces, enfoncer mes griffes dans son ventre et lui arracher les entrailles à crocs nus.

Avec un hurlement strident, la bête blanche comme neige s'est jetée sur moi, griffes tendues et mâchoires baveuses grandes ouvertes. De mon côté, je me suis élancé vers elle. Tout à coup, nous nous sommes étreints avec férocité, fiel, frénésie. Un flot rouge emplissait ma vue alors qu'une énergie extraordinaire circulait dans mes membres d'animal. Mes mâchoires claquaient et déchiquetaient tandis que mes griffes étincelaient et lacéraient. Nous heurtions le sol et les murs capitonnés dans un tourbillon aveugle de haine et de rage.

Soudain, le loup blanc a poussé un cri de douleur suraigu, si fort que j'ai reculé, chancelant. Pendant quelques instants, j'ai eu des vertiges, mais lorsque l'onde de choc s'est apaisée et qu'une image nette est réapparue devant mes yeux, j'ai vu mon adversaire affaissé, immobile, à l'autre bout de la pièce.

Lentement, prudemment, ma queue est retombée ; poils du cou dressés, je me suis approché. J'ai baissé la tête et reniflé…

La seringue mortelle était plantée dans le dos arqué du loup blanc, le piston enfoncé, le cylindre vidé.

Un farouche élan de triomphe animal a parcouru mon corps puissant. J'ai rejeté la tête en arrière et hurlé à la lune.

Si étranges qu'aient été les événements de cette nuit-là, ceux du lendemain ont été encore plus bizarres. Lorsque je suis revenu à moi, j'étais nu dans une pièce capitonnée où se trouvait un loup énorme, parfaitement blanc et parfaitement mort. La lumière de l'aube confirmait que j'avais repris ma forme humaine, tout comme la pauvre Lisette l'Échaudée avant moi, sauf que j'avais eu le bonheur de survivre.

Je ne me sentais pourtant pas inondé de bonheur à ce moment précis. J'avais mal à la tête et tous les muscles de mon corps étaient douloureusement raidis. J'ai néanmoins réussi à passer le manteau du médecin, qui était accroché à la porte du cabinet de travail, même si le contact avec sa garniture westphalienne m'a fait frémir ; j'ai ramassé mon gilet de braconnier déchiré, ma canne-épée, mon chapeau, et j'ai quitté les lieux.

Je me suis aussitôt rendu dans le laboratoire du professeur Rosier-Desgranges. Je lui ai raconté les atrocités de la nuit précédente ; l'occasion stupide que j'avais donnée au docteur Mandragore de prendre le dessus ; enfin, son terrible sort. RD m'a garanti que les autres victimes du médecin étaient toutes saines et sauves, et que je le serais aussi. Toutefois, lorsqu'il a glissé dans ma main la petite bouteille de teinture vert sombre, résultat de longues heures d'expérimentation, j'avais encore des doutes.

J'ai bu le liquide jusqu'à la dernière goutte, en espérant avec ferveur que la découverte de RD, fruit de sa patiente analyse de très nombreuses spécialités pharmaceutiques, était en effet valable.

Je n'aurais pas dû m'inquiéter : le soir même, debout devant la fenêtre ouverte de ma mansarde, sous la lumière argentée de la lune, je suis resté aussi lisse et imberbe qu'un nouveau-né, grâce à un remarquable dépilatoire associé au tonique de la vieille mère Cotillon !

J'aimerais affirmer que les horreurs de la nuit précédente se sont effacées aussi vite, mais je ne le peux. Le souvenir de mon effroyable métamorphose me poursuit encore. Pire torture, le souvenir que ramène le passage d'un carrosse à quatre chevaux dans la rue. Immédiatement, une tristesse insupportable m'envahit, car je revois le vieux Benjamin et son destin tragique.

Pauvre vieux Benjamin, transformé en loup-garou alors qu'il était assis sur son siège de cocher. Puis il était allé contempler le clair de lune fascinant du haut des toitures, et c'est là que moi, son ami, je l'avais tué.

Aurais-je pu agir autrement ? Peut-être ; je ne sais pas. Cette question est la plus atroce de toutes.

Quant au docteur, eh bien, je suis tenté de dire qu'il a laissé sa peau dans l'aventure. Au sens le plus concret qui soit…

Sa partenaire commerciale, signora Scutari, a vidé son cabinet de consultation ; le maire, cousin de la dame, s'est employé à étouffer cette sordide affaire. Non que l'élégante ait un jour posé des questions. Elle prenait les fourrures que le bon docteur lui fournissait – et elle s'en contentait. Lorsque son approvisionnement s'est tari, la demande de garniture westphalienne a cessé aussi. Par dizaines, les riches clients à la mode ont déserté la boutique de signora Scutari, qui a fait faillite. Elle ne l'a pas volé, à mon avis !

La bonne nouvelle, c'est que j'ai pu présenter la jolie Hélène à une couturière entreprenante de la place Touline, où elle s'est vite bâti une réputation en anticipant le dernier cri. La saison suivante, les dames de l'allée du Galop et du mail de la Régence avaient adopté la soie japonaise et les petits bouquets de jasmin…

Toutes, excepté la comtesse Oleanska Cantata, qui a suscité une foule de commentaires dans la presse mondaine en apparaissant cette saison-là aux courses du Bosquet de hêtres – où je l'ai vue de mes propres yeux – dans une veste courte de la plus exquise fourrure westphalienne blanche que l'on ait jamais admirée…

RETROUVEZ

Edgar Destoits

DANS

L'ÉTRANGE AFFAIRE DU CRÂNE D'ÉMERAUDE

(À PARAÎTRE)

PAUL STEWART & CHRIS RIDDELL

DÉCOUVREZ
LE PREMIER CHAPITRE DE

L'ÉTRANGE AFFAIRE DU CRÂNE D'ÉMERAUDE

Chapitre 1

– Extirpe son cœur battant ! ordonna la voix archaïque, chaque syllabe imprégnée d'une sombre malveillance contre laquelle j'étais incapable de lutter.

Au-dessus de ma tête, la lune glissait lentement mais inexorablement vers le disque du soleil. Un affreux crépuscule envahissait la cour. Et, à mesure que la lumière déclinait, les derniers vestiges de ma volonté de résistance s'évanouissaient.

Comme une grappe de hideux vautours, des personnages indistincts cernaient le grand autel qui se dressait devant moi. Leur visage au bec pointu et leurs longues plumes froufroutantes ont tremblé d'une ignoble impatience tandis que leurs orbites sombres se tournaient en chœur dans ma direction.

Les jambes gauches, vacillantes, je me suis approché à la façon d'un somnambule, gravissant les marches l'une après l'autre, mû par une force irrésistible.

Les silhouettes hideuses m'ont livré passage. Arrivé près de l'autel, j'ai baissé les yeux. Là, nu jusqu'à la taille, couché sur le dos, les bras et les jambes écartés, un homme était ligoté. Des entailles et des zébrures de fouet parsemaient sa peau – certaines avaient déjà une croûte, d'autres saignaient encore – et ses côtes saillantes donnaient à sa poitrine l'aspect d'un xylophone abîmé.

Sa tête pendait sur le côté ; de ses lèvres écartées sortait une plainte sourde, rauque.

– Pitié, a-t-il imploré, braquant sur moi les yeux terrorisés d'un lapin acculé par un furet. Ne le faites pas, je vous en supplie…

À cet instant, le cercle noir de la lune a masqué les ultimes rayons éblouissants du soleil. Stupéfait, j'ai regardé le ciel. Le disque entier était devenu noir comme de l'ébène et, sur son pourtour, un halo hérissé de pointes irradiait : un œil noir impitoyable semblait observer la terre depuis la voûte céleste.

Le plus grand personnage en habit de plumes s'est avancé face à moi. Il portait une large couronne à plumets bleus irisés. Derrière lui, posé tel un œuf grotesque sur le coussin d'un fauteuil en cuir à haut dossier, se trouvait un horrible crâne grimaçant. Comme je le regardais, les énormes joyaux enfoncés dans ses orbites ont émis une lueur cramoisie, sanglante, qui a taché la sinistre pénombre de l'éclipse.

Le personnage vêtu de plumes a fouillé dans sa cape et en a tiré un gros couteau de pierre, qu'il m'a présenté. De nouveau, la voix archaïque s'est fait entendre dans ma tête :

– Extirpe son cœur battant !

Malgré moi, j'ai tendu la main et saisi le manche du couteau de pierre. Alors que j'effectuais ce geste, j'ai senti mon bras monter, comme s'il avait été attaché à un fil tiré par un marionnettiste invisible.

J'ai considéré l'homme ligoté sur l'autel. Une croix peinte, rouge vif, marquait l'endroit où son cœur battait, j'en étais persuadé, aussi violemment que le mien.

J'ai serré plus fort le cruel couteau de pierre, à lame étincelante, tandis que les yeux rubis du crâne grimaçant me transperçaient de leur lueur sanglante. À l'intérieur de ma tête, la voix est devenue un hurlement strident :

– Extirpe son cœur battant… et donne-le-moi !

À SUIVRE…

Découvrez
les autres livres de

Paul Stewart & Chris Riddell

Chroniques du bout du monde

Le cycle de Spic

1. Par-delà les Grands Bois

Lieu de ténèbres et de mystère, les Grands Bois offrent un asile rude et périlleux à ceux qui les habitent. Et ils sont nombreux : trolls des bois, égorgeurs, gobelins de brassin, troglos... C'est là que vit Spic, du clan des trolls des bois. Il est troll et pourtant...

Trop grand, trop maigre, il est différent. Tellement différent qu'il doit fuir, par-delà les Grands Bois. Mais surtout, surtout, sans jamais sortir du sentier. Jamais...

Chroniques du bout du monde

Le cycle de Spic

2. Le Chasseur de tempête

Ville de mystères et de danger, Sanctaphrax peut tout offrir au visiteur : argent, bonheur, pouvoir, mort... Spic, nouvellement enrôlé dans l'équipage du Chasseur de tempête, est envoûté par la cité flottante. Mais Sanctaphrax est en danger... Sa survie dépend du phrax de tempête, une substance qui maintient son équilibre. Sans lui, la ville briserait ses amarres, et s'envolerait dans le ciel à tout jamais...

Chroniques du bout du monde

Le cycle de Spic

3. Minuit sur Sanctaphrax

Loin, très loin dans le ciel infini, un redoutable danger menace : c'est la Mère Tempête. Celle qui détruit tout sur son passage. Celle par qui tout meurt et tout renaît. Sanctaphrax se trouve sur son chemin, mais personne ne le sait. Seul Spic pourrait éviter le désastre…

Chroniques du bout du monde

Le cycle de Rémiz

1. Le dernier des pirates du ciel

Maladie de la pierre. Quatre mots qui ont tout changé. Tout : la cité volante de Sanctaphrax ne flotte plus, les bateaux de la Ligue sont cloués au sol, les pirates du ciel ont disparu à jamais... Comble de malheur, une lutte à mort a placé l'usurpateur Vox Verlix au pouvoir. Les érudits, qui régnaient jadis en maîtres, sont désormais condamnés à vivre clandestinement, dans la fange des égouts d'Infraville...

Chroniques du bout du monde

Le cycle de Rémiz

2. Vox le Terrible

Vox Verlix. Dignitaire suprême de Sanctaphrax. Un tyran. Mais un tyran de papier, qui vit reclus dans un palais délabré. Un obèse alcoolique qui, dans ses moments de lucidité, élabore des plans de vengance. Quand Rémiz, le jeune chevalier bibliothécaire, découvre ses projets, il est glacé d'effroi. Car c'est toute la Falaise qui est menacée...

Chroniques du bout du monde

Le cycle de Rémiz

3. Le chevalier des clairières franches

Infraville est détruite. Ses habitants ont tout perdu. Une seule issue, pour tous les Infravillois : l'exode. Direction : les clairières franches, le seul espace de liberté qui subsiste encore, au cœur des Grands Bois. Un long et périlleux voyage...

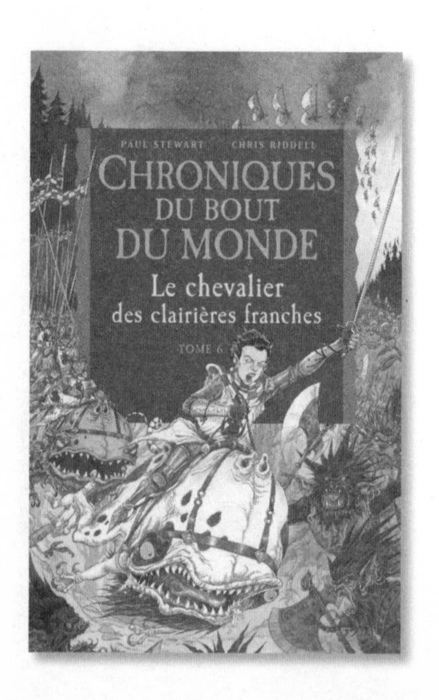

Chroniques du bout du monde

Le cycle de Quint

1. La malédiction du luminard

Sanctaphrax la Grande. Sanctaphrax la Puissante. Mais Sanctaphrax est une ville en danger... Au plus profond de son rocher flottant, Sanctaphrax abrite un terrible secret. Pire qu'un secret, une vérité : quand la terre et le ciel s'unissent pour de sombres raisons, ils peuvent donner naissance à la pire créature qui soit. Une créature synonyme de destruction. Le luminard...

Chroniques du bout du monde

Le cycle de Quint

2. Les chevaliers de l'hiver

Un terrible hiver s'est abattu sur Sanctaphrax. Un froid implacable, glacial, pénétrant. Sur le rocher flottant, la vie semble figée, d'autant plus que la cité est en deuil : Linius Pallitax, le respecté Dignitaire suprême, vient de mourir. Avant de disparaître, le vieux sage a toutefois permis à Quint Verginix, son jeune protégé, d'entrer à l'Académie de chevalerie. Seul désormais, Quint doit faire face à de nouveaux ennemis…

CHRONIQUES DU BOUT DU MONDE

LE CYCLE DE QUINT

3. LA BATAILLE DU CIEL

Turbot Smil. Pour le jeune Quint, devenu pirate du ciel aux côtés de son père, le Loup des nues, ce nom évoque à jamais la trahison et la mort.Turbot Smil le traître, qui fomenta une mutinerie contre le Loup des nues ; Turbot Smil l'assassin, qui fit périr toute la famille de Quint. On le croyait mort, mais une rumeur court dans Infraville : Turbot Smil est de retour !

Les aventuriers du très très loin

Fergus Bonheur

Les aventures fabuleuses de Fergus Bonheur et ses incroyables exploits en mer d'Émeraude…

Es-tu prêt à frissonner lorsque Fergus affrontera les terribles dangers du monde souterrain ? Trembleras-tu lorsqu'il essaiera de sauver ses amis des griffes d'un ignoble pirate ? Sauras-tu voler sur le dos d'un cheval mécanique ? Oui ?
Alors tu es prêt pour le plus extraordinaire des voyages…

Les aventuriers du très très loin

Zoé Zéphyr

Les aventures fabuleuses de Zoé Zéphyr pendant son voyage à bord de l'Euphonia...

As-tu envie de découvrir le pays de l'âne enrhumé, de la chèvre rieuse et du cochon dansant ? Parviendras-tu à déjouer les terribles complots de la confrérie des clowns ? Et surtout, perceras-tu le mystère de la créature enfermée dans la cale du navire ? Oui ? Alors si tu ne souffres pas du mal de mer, tu es prêt pour la plus extraordinaire des traversées...

LES AVENTURIERS DU TRÈS TRÈS LOIN

HUGO LACHANCE

LES AVENTURES FABULEUSES D'HUGO LACHANCE PENDANT SA TRAVERSÉE DU GRAND NORD...

Auras-tu le courage de parcourir le monde à bord d'un traîneau volant ? Oseras-tu affronter l'ignoble scélérat qui terrorise les habitants de Port-du-Haut ? Et surtout, perceras-tu le mystère des drolatiques, énigmatiques et fantomatiques géants des neiges ? Oui ? Alors accroche-toi aux manettes, et décolle pour un voyage inoubliable !

Chroniques du Marais qui pue

Épisode 1 :
La chasse à l'ogre

Jean-Michel Chanourdi n'aurait jamais dû aller promener son chien, jamais dû s'approcher de ce buisson… Car Randalf le Sage, apprenti magicien, l'a piégé. Désormais, Jean-Michel sera Jean-Mi le Barbare, un super-guerrier. Sa mission : terrasser Engelbert le Gigantesque, l'ogre le plus terrible de tout le Marais qui pue. Ça va faire mal. Très mal…

Chroniques du Marais qui pue

Épisode 2 :
La grotte du dragon

Il se passe des choses étranges au Marais qui pue. Des armées de petites cuillers s'entraînent au combat, des escadrons d'armoires volantes sèment la terreur, et les dragons, d'ordinaire si paisibles, kidnappent les magiciens... Jean-Michel et ses amis n'ont aucun doute : c'est l'œuvre du terrible, de l'horrible, de l'indéfectible docteur Câlinou...

Chroniques du Marais qui pue

Épisode 3 :
L'abominable docteur Câlinou

Cette fois-ci, Jean-Michel Chanourdi est bien décidé à rentrer chez lui, dans le monde normal (sans ogre, ni dragon, ni grenouille péteuse). Seul problème : il lui faut d'abord récupérer le Grand Grimoire, volé par le terrible, l'horrible, l'indéfectible docteur Câlinou... Et ce n'est pas gagné d'avance...

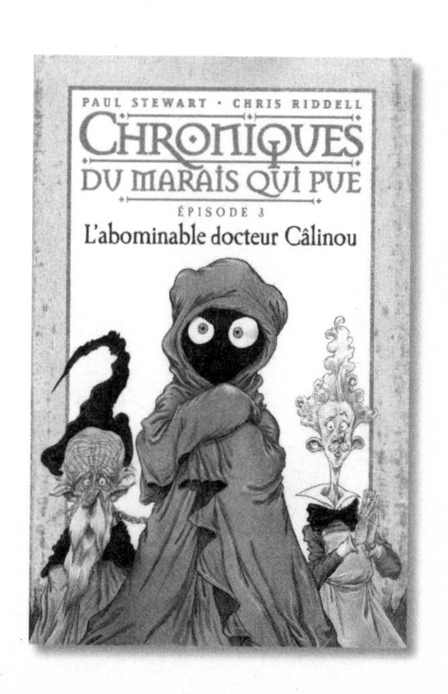

Achevé d'imprimer en France par Aubin
Dépôt légal : 2e trimestre 2008
N° d'impression : L 71981